De peigne et de misère

DU MÊME AUTEUR

L'Arracheuse de temps, contes de village, Montréal, Sarrazine Éditions, 2009

Bois du thé fort, tu vas pisser drette, Montréal, Sarrazine Éditions, 2005

Comme une odeur de muscles, Montréal, Planète rebelle, coll. «Paroles», 2005

Il faut prendre le taureau par les contes, Montréal, Planète rebelle, coll. «Paroles», 2003

Dans mon village, il y a belle lurette…, Montréal, Planète rebelle, coll. «Paroles», 2001

Également paru

Zoom sur Saint-Élie-de-Caxton. Sur la trace du merveilleux, 30 photographes de presse, textes de Fred Pellerin, Montréal, Éditions Groupe Photomédia et Sarrazine Éditions, 2006

Fred Pellerin

De peigne et de misère

Sarrazine Éditions

Sarrazine Éditions
6605, rue Chambord
Montréal (Québec)
H2G 3C1
Téléphone : 514.279.0258
Télécopieur : 514.279.8408
Adresse électronique : info@michelinesarrazin.com
Site web : www.michelinesarrazin.com

Correction : Sylvie Daigle
Photo de l'auteur : Laurence Labat
Conception graphique de la page couverture : Dingo Design inc.
Dessin de la couverture : Lison Mezzina
Conception graphique des pages intérieures : Édiscript enr.
Impression : Marquis imprimeur inc.

Distribution en librairie :
Diffusion Dimédia inc.
539, boulevard Lebeau
Ville Saint-Laurent (Québec)
H4N 1S2
Téléphone : (514) 336-3941
Télécopieur : (514) 331-3916
Site web : www.dimedia.qc.ca

Dépôt légal : 4ᵉ trimestre 2013
Bibliothèque et Archives nationales du Québec
Bibliothèque et Archives Canada
ISBN : 978-2-9808947-2-5

Merci à Francine Bellemare,
Gloriane Bellemare
et Gaétan Bellemare,
filles et fils du Méo légendaire d'origine
qui ont accepté le rendez-vous,
et contribué à la mise en plis.

Merci à

Marius, Marie-Neige, Marie-Fée et Marianne Pellerin,

Johanne Pinard et Nicolas Pellerin,

Micheline Sarrazin et Marie Martinez,

Steve Branchaud, Martin Boisclair,

Jeannot Bournival,

Julien Mariller,

Josée Beaudoin, Isabelle Tremblay,

Geneviève Girard, Julie Giraud,

René Richard Cyr, Richard Desjardins,

David Portelance, Yves Boisvert, Sandra Huston,

Anne-Virginie Schmidt et Anicet Desrochers,

Sophie Férard, Yannick Déziel,

Annie Préfontaine,

Hugo Bélanger,

Marie Fradette, Daniel Savoie,

Lison Mezzina,

Laurent Lolo du Restaurant de Fryer's Bay,

Stéphane Savard, Jean Anger,

Daphnée Couture, Lucette Bélanger,

Martin Léon,

Dominic Champagne,

Alain Farah, Isabelle Paré, Marie-Andrée Larivière,

Ephrem Pellerin, Gilbert Guérin, Alain Lafrance,

Martin Gagné, Mona Filion, Nancy Jalbert,

Alexandre Roy, Danielle Bélisle, Alain Charpentier,

Anne-Marie Aubin,

Élise St-Jean, Jean-Guy Lemery, Yves Albert, Éric Binette

Et aux gens de l'équipe de la Petite Église de Saint-Eustache

L'espoir,
c'est la seule chose
qu'ils ne pourront jamais mettre dans une bouteille
pour nous le revendre après.
DOMINIC CHAMPAGNE

LES ANNÉES-LUMIÈRE

Il n'y a pas de personne sacrée.
Il n'y a pas de lieu sacré.
MAHATMA GANDHI

Il n'y a que des moments sacrés.
LAURENT LOLO

Le grand zéro. Parmi les grands moments, il en est un qui arrive au début des temps. Un moment. Un rare. Un sacré. Un instant minuscule et grandiose qui n'est même pas une histoire parce qu'il est venu avant les histoires. Avant. Comme si on reculait à la case de départ, jusqu'à la position du commencement, pour s'accoter au pied des origines et, là, poser un pas par en arrière. Reculer avant. Franchir le mur du temps.

C'était au début du monde. Aux temps précalendriens. Dans la nuit des temps. C'était à un moment où le passé n'existait pas encore, ce moment où il n'y avait que le présent. Et le futur. Rien pour la nostalgie, tout pour l'espoir. C'était avant le mal d'Adam et le cœur de l'Ève. Loin, loin derrière. Comme au premier soubresaut d'un tout petit bang. En préalable à tout. Avant l'imparfait et ses dérives. C'était le premier moment. Enfin. Enfin. Il allait être une fois. Dans la nuit des temps, on venait d'annoncer que le soleil allait se lever pour la toute première fois.

Ce serait le premier matin du monde. Et pour attraper l'occasion, sur une montagne perdue dans le nord de l'Amérique, se trouvait une vieille femme, installée sur une souche avec, dans son châle, un enfant dépeigné. Un petit garçon, blond de tête et de cheveux fous, qui dépassait du morceau de laine de son aïeule. Tous les deux immobiles, les yeux plongés dans le bleu éternel de l'horizon, ils attendaient de voir ce spectacle prévu des aurores d'origine. Dans cette vue imprenable, ils allaient cueillir le point du jour qui se révèlerait par-delà la montagne encore à contre-nuit.

L'ORDRE DU JOUR

Ils étaient là, tous les deux, patients dans l'azur. Loin dans leurs pupilles apparut bientôt la barre du jour, cette ligne mince qui tient frontière entre l'obscurité et le commencement du monde. L'aube approchait. La rosée mettait de l'eau dans son levant. Des millions de gouttes où viendrait se mirer la lumière. La dernière brise retenait son souffle. Lentement, des fragments de violacé vinrent teinter le ciel.

Tout à coup, un bruit. Les deux spectateurs avaient entendu craquer de la brindille sur le petit sentier derrière eux. Du monde venait. Des hommes. Des dizaines d'hommes habillés en cravates et en crayons arrivaient, le pas pressé.

Le peloton de sérieux s'avança pour rejoindre le point le plus avancé du cap de roche. Là d'où on voyait le mieux le relief d'en face, ce pli dans le tapis géologique de la porte des Laurentides. Le premier maillon d'une vieille chaîne terrestre. Les hommes fixaient le flanc de devant, piqué de milliers d'arbres. Il en fut un parmi la bande pour prendre la parole et pointer son doigt sur le paysage.
— Vous voyez cette forêt jamais touchée ? Du plus loin que vous pouvez voir de ce côté-ci jusqu'au plus loin que vous pouvez voir de ce côté-là, tout ce qui se trouve dans cette forêt en potentiel, en bois à couper, à chauffer, à scier, tous les arbres, les bêtes à gibier et les oiseaux, tout… Tout. Ce sera à nous.

Les têtes opinèrent. Les mains se serrèrent. Et ils repartirent.

Les deux observateurs n'avaient pas bronché. La grand-mère et le petit dépeigné au chaud dans le châle étaient restés inaperçus. Les yeux toujours fixés au loin, ce loin qui, suivant la règle du prisme, coula progressivement vers le rougeâtre.

Encore une fois, derrière eux, des craquements. Et des gens. Des aimables, en couples ou en occupés, hommes et femmes par centaines, qui se tenaient main dans la main, et s'avançaient doucement vers le cap de roche. Là d'où on voyait le mieux le paysage, et la vallée en contrebas, une terre encaissée entre les deux montagnes. Parmi tout ce monde en place, il y en eut un pour se placer devant le paysage et en tirer la couverte.

— Du plus loin que vous pouvez voir de ce côté-ci jusqu'au plus loin que vous pouvez voir de ce côté-là, tout ce qui se trouve dans cette vallée en potentiel de culture, de clôture, de richesses de sous-sol, tout... Tout. Ce sera à nous.

Les sourires prirent ailes. Les baisers volèrent. Et ils repartirent.

Un peu en retrait, sur la souche, toujours deux immobiles. Dans l'enfilade convenue des nuances, le ciel étala bientôt des pelures d'orangé. Et du bruit, derrière. Ils étaient des milliers. Des pères, des mères, des enfants, des entiers, des germains et des fesses-gauches. Tout ce monde qui se tassait sur le cap de roche, là d'où on voyait le mieux le petit serpent bleu qui se tortillait dans le creux de la vallée. La rivière. Et il en fut un pour prendre la parole.

— Du plus loin de son point de fuite jusqu'à sa grande gueule de fleuve, tout ce qui se trouve dans le fil de l'eau en potentiel hydroélectrique, en poisson, en source à embouteiller, tout... Tout. Ce sera à nous.

Les applaudissements s'empaumèrent. Et ils quittèrent.

Après l'orangé, on se trouva sur le point de bascule de l'existement. À cheval entre la peur de la délivrance et le réflexe de se partager le monde. Pris par la tractation terrestre. On inventait déjà ce qui deviendrait la pesanteur et ses dérives de gravité.

AURORE, L'ENFANT MATIN

Les deux guetteurs en poste. Elle. Et le petit dépeigné. Dans le lointain, on avait rejoint le jaune, l'extrémité du spectre. Du jaune à se gonfler de lumière. Jaune et rejaune. Et encore jusqu'à l'or. Jusqu'à ce que la ligne d'horizon n'en puisse plus de se retenir et que la montagne en face se fende en deux. Une déchirure éblouissante dans un silence intact.

Par l'ouverture, ils virent monter, dans le ciel neuf, le premier soleil, la grande roue à aubes qui envahit le pays d'une clarté puissante.

La vieille femme se leva. Elle entraîna le petit échevelé avec elle jusqu'à rejoindre le cap de roche. Là d'où on voyait le mieux qu'on ne voyait plus rien, aveuglé par tant de jour après tant de nuit. Elle ouvrit grand les bras et annonça à son petit-fils :
— Tu vois ? C'est la lumière. La lumière, ça n'appartiendra jamais à personne.

C'était le début d'une histoire. Et le petit garçon dans le châle de sa grand-mère, c'était moi.

LA NAISSANCE DU VILLAGE

L'ÉVOLUTIONNAGE

Ma grand-mère avait connu l'avant de l'histoire. Le début des temps. C'était une chance énorme de l'avoir à portée de savoir.

Elle était une témoine à l'œil long qui savait traduire les siècles en légendes. Elle connaissait toutes les histoires pour les avoir vues naître. C'était un périscope historique. Une préhistorique. Une grand-mèrausorus, presque. De la colonie des vertébrés, de celles qui avaient de la colonne, qui mangeaient de la viande et qui couraient vite. Ma grand-mère, elle prédatait.

Mon ancêtre directe avait connu le début des temps. Et la fin aussi. Tout ça sans prétention. Juste par le hasard, par la chance d'être née au bon moment. Parce que, pour connaître le début et la fin, il faut venir au monde en plein milieu. Au centre. Et avoir assez d'envergure pour rejoindre les deux bouts.

Elle m'avait expliqué qu'au début, il n'y avait pas d'histoire. Il y avait d'abord eu les faits, et les histoires étaient arrivées plus tard. Graduellement. Dans le sens des aiguilles du monde.

De la même façon, on avait un jour vu naître mon village.

C'était une vallée affalée entre deux montagnes. Une enca-vure panoramique où se tortillait une rivière naissante et des potentiels à rêver. C'était un paysage dormant depuis les lunes et que le grand matin originel avait révélé. L'éternité aidant, la forêt avait fait son nid dans ce racoin du monde. Un village allait s'y dessiner doucement. Un village, par accumulations de visages, en y allant dans les désordres, avec les utiles, les futiles, les permanents, les passagers, les désirés et les pas-le-choix. On irait jusqu'à faire nombre.

Le premier oseur, c'en avait été un courageux. Un bûcheron venu pousser sa loque. Par déformation professionnelle, il déciderait de repartir ailleurs une fois l'éclaircie faite. Changer de place, ça devenait une habitude pour ces coucheurs de forêts. Toujours courir après les arbres debout.

À cette époque, une veste carreautée accrochée sur une perche dans un endroit jamais visité, ça devenait une borne, un point de départ. C'était comme planter un drapeau sur la lune et s'inventer des grands pas pour l'humanité.

Voyant battre pavillon, les autorités ambiantes, atteintes de colonisation grimpante, conclurent à un intérêt pour le site. Aussi, ils joignirent rapidement le geste à l'improbable et déployèrent sans attendre une mesure de soutien au peuplement. Cette mesure, c'était Madame Gélinas.

Spécialiste de la population, Madame Gélinas fut mandatée pour jouer de l'embryon dans le but d'assurer la mise en place d'une démographie dans ce repli terrestre. Elle populait. Sans arrêt. D'une conviction utérienne extrême, elle pouvait accoucher d'une trentaine d'enfants par année. Pas loin de trois délivrances par mois.

— Elle fait quoi la Gélinas?
— Elle popule!

Et il ne faudrait pas croire qu'elle était née avec la capacité intrinsèque et qu'il se trouvait dans son équipement un don naturel. Loin de là. La jeune femme Gélinas avait d'abord été une inféconde. Une in vitro séchée du fertile. Il avait fallu la miraculer. Profondément. Avec un cierge.

Son entourage avait procédé dans la plus pure tradition du Sanctuaire de Notre-Dame-du-Cap-de-la-Madeleine. On lui avait allumé une mèche dans la grotte à lampions. Ça avait fait l'effet d'un plombier sur ses fallopes. Débloquée. Les trompes en trombe, elle avait lancé la mode du surpeuplement pour arriver à terme avec quatre cent soixante-treize enfants. Quatre cent soixante-treize: le premier bottin téléphonique de Saint-Élie-de-Caxton. La Gélinas avait vêlé un annuaire complet. Tout ça avec une seule lettre dans la recherche.

C'est connu: le monde amène le monde. La rumeur voulant qu'un nouveau recensement ait trouvé place dans ce village naissant, ça engagea vivement le mouvement. On vit pousser quelques maisons, comme un paquet de champignons en bardeaux de tôle qui devint le tapon domiciliaire.

Le premier commerce fut bientôt inauguré. C'était un magasin général tenu avec franchise par Toussaint Brodeur. Des rayons généreux. Comme dans un soleil de détail. Toussaint Brodeur vendait des items mangeables et nutritifs, des produits surnaturels, de la quincaillerie, des médailles à bénir, certaines à bannir, et encore. Le gros de son chiffre d'affaires provenait de sa vente de bière illégale.

Juste en haut de la côte, pas loin d'une église éventuelle, on construisit un beau presbytère neuf dans lequel on s'empressa d'installer un vieux curé. Un peu plus loin, sur une cabane de planches, il se greffa un soufflet à attiser le forgeron Riopel. Arsène Riopel, l'homme de fer, avec Lurette, sa fille de velours.

Comme ça et par accumulation, une faune de partance déployait ses aises avec tout ce qu'il faut pour se mettre à exister sous une forme municipale. À bord de ce premier convoi de métiers qui débarquaient, il s'en trouva un à classer parmi les essentiels. Un qui passa inaperçu, mais ô combien nécessaire. Lequel? Le plus vieux métier du monde.

TOUPET OR NOT TOUPET ?

Le barbier du village, il s'appelait Méo. C'était un de ces artisans issus de la lignée ancienne qui était apparue en même temps que le premier poil sur terre. Méo Bellemare. Bien qu'ayant eu chignon sur rue à Saint-Élie-de-Caxton, notre homme aura marqué l'histoire de la coifferie à l'échelle mondiale. En grand adepte du ciseau qu'il fut, il sut jouer d'une créativité qui étonne toujours, malgré les années qui passent. Sa tendance à vouloir repousser les limites a laissé certaines cicatrices encore très apparentes.

— Vanne qui ?
— Van Gogh !
— Ah ! Lui ! Parle-moi z'en pas !

Localement, Méo sut répondre à la routine des touffes et frisettes avec une aisance et une originalité hors du commun. Aussi, et surtout, il n'hésita jamais à dépasser le mandat qu'on attribuait aux gens de son espèce. Pour coiffer, d'abord, et pour décoiffer, plus souvent encore. Méo possédait une fibre artistique incontrôlable. Champion du shampooing, il savait s'adresser à tous les poils et les convaincre des pires contorsions. Cliquetant du bigoudi ou du fer plat, virant le rasoir, le blaireau ou la brosse, passant des favoris à la rosette sans ciller, de la moustache aux oreilles et de la parole aux gestes, Méo pouvait répondre à toutes les demandes d'urgence ou de coquetterie.

— Un sourcil, c'est bien ; mais deux, c'est mieux !
Il lui arriva même de friser le ridicule et de ne pas en mourir.

Méo explosait de bonnes idées. Parmi les quelques inventions bancales qu'il osa réaliser, il en fut une qui grugeait tout son temps et c'était celle du calendrier liquide : une nouvelle méthode d'appréhender les heures pour ceux qui ne pouvaient pas se satisfaire des offres courantes sur le plan de la temporalité.

Tout ce qui existait jusqu'alors pour combler les besoins du sablier constituait des mesures finies. Le calendrier grégorien, l'année scolaire, le cycle lunaire, la montre suisse, et encore... Sur l'échelle des instruments disponibles, le temps avait toujours un début et une fin. Même le calendrier des Mayas sonnait sa fin du monde de temps en temps. Méo aspirait à plus. Il rêvait d'éternité. Il rêvait de cet outil de mesure dans lequel il suffirait de poser l'œil pour donner la vue sur du toujours. Et l'idée se présenta d'elle-même : si on avait réussi à faire tenir des bateaux dans une bouteille, pourquoi ne pourrait-on pas y mettre l'infini ?

L'horloge a besoin de minutie. Méo y était allé de patience. Des années à mesurer ses doses, à ajuster son débit. À la fin, il y était arrivé. Pour que tout fonctionne, il fallait qu'il boive une once de cognac à l'heure. Et une bouteille par jour. Ça lui faisait des journées de quarante heures. Un bourreau de travail! Le monde autour se plaignait des semaines de trente-cinq heures alors que Méo se pétait des quarante heures par jour. C'était un *workaholique*.

Le cognac pour les heures, donc. Autrement, il découpait les demi-heures en bière, les quarts d'heure en vin rouge et se gardait une gorgée d'eau pour les minutes. Les années, les siècles et les millilitres pouvaient enfin s'écouler sans limite. Méo avait trouvé un pendule au mouvement universel. Et il se gargarisait du succès de son invention.

LA MÉOPATHIE

Les boires et déboires de Méo figuraient comme des indices flagrants de son penchant pour la philosophie. Il n'avait pas le choix. Les cheveux sont trop près du siège de l'âme pour que les coiffeurs puissent échapper à la sagesse.

Accumulant les scalps et portant attention aux confidences de chacun, Méo en vint à se tisser une toile spirituelle surprenante. Il vous prenait sur sa chaise et vous arrangeait le portrait. Souvent malgré vous, parfois malgré lui. Vous ressortiez du salon, vous n'étiez plus le même. Il arriva que des personnes ne se reconnaissent même plus. Surtout dans le miroir.

Méo savait faire sentir son monde grand. Il savait conforter. On le consultait autant pour les cheveux blancs que pour les idées noires. Sa façon de se pencher sur chacun de ses clients comme s'il n'y avait plus personne d'autre sur terre, ça faisait de la douceur d'importance. Juste par cette marque d'estime, le coiffeur soulageait déjà bien des maux.

— Chaque cheveu fait de l'ombre sur terre.

C'était là une des bases du Peigne Shui, cet art japonique millénaire dont s'inspirait Méo en en faisant son premier commandement. Il ajoutait à sa théorie l'allégorie capillaire du grand tout.

— Les cheveux, c'est comme l'univers. Juste que ça fait longtemps qu'il a pas été peigné, l'univers.

Méo abordait le monde en microscopie. Une façon de se donner du réel heureux en passant par l'infiniment petit. C'était un minusculeur.

— Chaque cheveu fait de l'ombre sur terre.

LA MAÎTRESSE DÉCOLLE

Il faut pour faire une prairie
un trèfle et une seule abeille,
un seul trèfle, une abeille,
et la rêverie.
La rêverie suffit
si vous êtes à court d'abeilles.
EMILY DICKINSON

Dans son vaste lot d'intérêts pour les petitesses et les envo-
lées philosophiques, Méo avait un jour porté son talent sur
l'élevage des abeilles. En marge de ses journées foisonnantes et
ouvrageuses, le barbier s'était construit un passe-temps autour
des mouches à miel. Il s'était équipé d'une ruche, une belle boîte
blanche, que le vendeur lui avait vantée comme pouvant contenir
quarante mille individus.

— Quarante mille?

L'angoisse. Juste d'y penser, de s'imaginer devant aller
décompter son cheptel à tous les soirs, découvrir qu'il manquait
toujours quelques centaines de retardataires, et les attendre ou les
chercher, et recommencer le manège le lendemain.

— Je vais en prendre cinq.

— Cinq ruches?

— Non. Cinq abeilles!

Méo avait penché pour un format d'essaim dénombrable sur
les doigts d'une main. Il avait opté, parmi les variétés offertes,
pour cinq vieilles picouilles bourdonneuses usagées et bruyantes.
Des antiquités volantes, grosses comme le pouce, qui n'avaient
qu'une portée limitée dans l'éloignement et, avec l'usure, plus
l'ombre d'une barre jaune sur la bonbonne. Des décolorées tran-
quilles, comme des petits bâtons de barbiers volants dans une
époque de sépia. Cinq abeilles au bout du rouleau, tout ce qu'il
y a de mieux pour que Méo puisse apicoler tranquillement sans
s'inquiéter de retrouver un clan incomplet chaque soir.

Pendant que Méo faisait rouler les têtes, les volatiles écorniflaient dans les fleurs d'autour pour s'inventer un peu de miel. Rien pour crouler sous les litres, mais quand même du bon sirop sucré puisé dans les trèflures avoisinantes, les verges d'or, le pommier du presbytère et, surtout, les cerisiers scolaires.

Il se trouvait en face de chez Méo, juste de l'autre côté de la rue, la petite école du village. Grand lieu de savoir, cette institution, propriété des sœurs de la Congrégation des Filles de l'Enfant Jésus, abritait cinq maîtresses à capine qui sévissaient du savoir depuis des lustres et qui portaient soin à l'éducation du couvain local. Cinq vieilles religieuses, sèches et austères, comme des craies de tableau habillées en robes grises. Des grinçantes sur l'ardoise.

En tant que sœurs, les cinq éducatives n'avaient d'autre choix vestimentaire que le gris, de la pointe des cheveux jusqu'aux ongles d'orteils. Il en était ainsi depuis le prononcement de leur vœu de textile, chacune d'entre elles évoluant isolée dans une voilure complète. Bonnet, tunique, robe et chaussons, aucun interstice entre les guenilles : on les perdait complètement sous l'habit intégral.

Par chance, les Filles de l'Enfant Jésus s'étaient vu accordé, depuis quelques années, une occasion dans l'ouverture d'un hublot à la hauteur du visage. Vivant étouffées dans le tissu depuis le douzième siècle de notre air, les bonnes sœurs avaient eu besoin de prendre une poffe. Aussi, profitant de l'invention vrombissante de Ford, elles avaient osé porter leur demande au Saint-Siège en plein cœur du concile en cours. Feignant la crainte d'être décimées par les automobiles, ces nouveaux bolides de vitesse qui sillonnaient depuis peu nos routes, elles se présentèrent devant Jean XXIII pour plaider en faveur de l'obtention d'un équivalent de trou de sécheuse à linge à hauteur de visage.

Persuasives, elles se virent octroyer la possibilité d'un diamètre de quatre pouces par personne. Chacune des sœurs allait donc jouir d'une fenêtre ronde pour scaphandrer à son aise. Ainsi percées, elles furent heureuses de découvrir que l'orifice était assez grand pour réussir à y mettre les yeux, mais aussi le nez et la bouche.

Les maîtresses d'école en captivité cultivaient donc le savoir dans la tête des enfants et les cerises dans la cour d'en arrière. Avec le temps, leur passion pour les fruits rouges avait pris son ampleur. On en parlait maintenant comme d'un verger. La cerisaie connaissait ses heures de gloire, et les abeilles de Méo, loin de nuire aux bénéfices des accouplements pistilleux, passaient le gros de leur temps à zigonner les cerises des sœurs pour en importer le nectar jusque dans la bouche de leur berger.

Chaque matin, Méo se levait et, immanquablement, pour première activité de la journée, allait se gratter la ruche. Équipé d'une cuillère, il se dégommait un alvéole et déposait la dose recueillie dans son café. Pour se fortifier le torréfié. Il brassait légèrement et dégustait la tasse de jus noir. Ça lui faisait son sucre quotidien. Quelques gorgées seulement, et l'espresso se lisait sur son visage. Sa journée s'ouvrait ainsi toute remplie de promesses liquides.

PHÉROMONAL PHÉNOMÈNE

À force de côtoyer ses mouches à miel, Méo avait fini par développer une forme de décalcomanie comportementale. De l'imimétisme. Par la force du temps, comme on peut l'observer chez des gens qui habitent ensemble plusieurs années, et de la fixation portée sur son essaim insectueux, il avait fini par transposer le comportement butineur à son propre travail de coifferie. Ainsi, comme ses bibittes qui grappillaient sans cesse d'une fleur à une autre pour en assurer les transferts féconds, Méo avait appris à voleter d'une couronne chevelue à une autre pour en mélanger les poussières. Recueillant le pollen des confidences dans les pétales intimes de ses clients, il ingérait les miettes dans sa glande de l'hypothèse pour en recracher ensuite le substantifique miel de rumeur sur le prochain client. Tout était prétexte aux spores d'équipe. De cette façon, à répandre sa miellerie à tous vents, il instituait une forme de redistribution de la richesse verbale où tout le monde savait tout de tout le monde. À l'image de la péréquation ambiante qui s'applique dans la ruche, Méo se faisait le communiste de la communication. Il agissait comme une antenne émietteuse et réceptrice.

Prenant métier à hauteur des cocos, Méo, sans le savoir, avait posé son siège au carrefour de toutes les rencontres et intimités. Profitant de sa situation privilégiée, il avait vite appris à jouer de précision dans la conscience ou les péchés, selon le poil par lequel le client se présentait à lui. Et il savait tout. Sous prétexte d'une rosette avant la confesse, certains venaient à lui juste pour se débarrasser des aveux graves. Méo avait alors droit aux morceaux de choix. C'est à lui que revenaient même certains péchés capitaux. Ce qui ne diminuait en rien les initiatives diffuseuses du coiffeur.

— Un secret, c'est une chose qu'on dit à une personne à la fois !

La seule vérité à propos de laquelle on n'avait jamais entendu parler Méo, c'était de celle qui se trouvait juste en-dessous des capines des sœurs.

La curiosité frétillant à son aise dans les zones données pour secrètes, tout le monde avait fini par se tracasser pour savoir ce qui pouvait bien se trouver, sur le plan capillaire, à l'ombre des tuniques. Depuis des années que les sœurs vivaient au village, et le sujet en était devenu un de prédilection. Classé dans le top trois des thèmes à placotage, ex æquo avec la météo et la politique municipale, tout le monde se demandait bien à quoi pouvaient ressembler ces cheveux religieux tenus en cloître dans les cornettes. Les suppositions connaissaient des heures de gloire depuis que la question s'était posée, mais personne n'avait encore pu tirer de certitudes concernant ce cas épileux. Évidemment que mille fois sur le Méo on avait retourné la question, mais jamais encore la ressource humaine ne s'était prononcée. Le coiffeur gardait le mystère entier.

LE SECRET DE POLICHIGNON

— Il me semble que depuis le temps, tu pourrais nous le dire, Méo...

— Je suis tenu au silence.

Comme tous les barbiers dignes de ce nom, Méo appliquait les règles strictes de la déontologie poilue. Membre du Désordre Professionnel des Échevaliers de la Table Rase, il avait, dès ses débuts dans l'exercice des lames, accepté de se plier aux principes de base de la tige et promis son accointance avec l'éthique. Il avait donc prononcé le fameux serment d'Hypocrite, à la manière du docteur qui se déontologise, et s'était engagé suivant cette affirmation solennelle, ce crédo des grands débuts, initié par l'ancêtre de la mèche : Conan. Conan, le barbier.

Méo avait porté la main droite sur le grand livre et avait promis de remplir sa mission selon les règles.

— Notre mèche qui êtes aux cheveux,
Que votre long soit sectionné,
Que votre raie s'aligne
Sur la tête comme aux aisselles.
Donnez-nous aujourd'hui notre peigne de ce jour,
Pardonnez-nous nos rallonges,
Comme nous pardonnons aussi à ceux qui nous ont décoiffés.
Ne nous soumettez pas à la narration,
Mais démêlez-nous les poils.
Amen.

Cette prière profonde prononcée, le coiffeur s'engageait à ne pas dépasser la ligne de conduite. Il pourrait dorénavant tout raconter de ce que le client lui dirait, mais ne plus jamais rien dire de ce qui concernait ses cheveux. La limite était posée. La confidence pouvait filtrer, les cheveux demeureraient muets. La tension montait d'un crin.

— Méo… Donne-nous des indices sur les capines.

— Les histoires, c'est à tout le monde, mais les cheveux coupés, ils sont à moi !

Personne n'avait jamais vu les sœurs sans capine. Combien de fois avait-on joué d'astuces en espérant un minimum d'aperçu? On avait envoyé des espions à différents moments du jour, posté des jumelles et ajusté des longues-vues, on avait tenté de surprendre l'équipe en venant frapper à la porte sur des heures tardives… Malgré tout, jamais personne n'avait pu entrevoir la moindre portion de tête à l'air chez les grises.

Si ça nuisait à la vérité sous-jacente, ça avait surtout pour avantage de nourrir le marché de la spéculation. Aussi, plutôt que d'éteindre la vigueur du préoccupant en le tenant loin des yeux, toutes les options s'en voyaient tenues près du cœur. On émettait du postulat de frisettes ou de chignons permanents, de la houppette ou de l'étoupe. On coiffait les sœurs d'aléatoire pour le plaisir de voir ce qui leur allait le mieux. Dans la salle d'attente du salon de barbier, chacun y allait de ce qu'il avait en tête.

— J'ai entendu dire qu'elles ont les cheveux blancs.

— Tu prends pas un gros risque, à l'âge qu'elles ont!

— Je veux dire blancs depuis le début. Même jeunes.

— Elles viendraient au monde blanches?

— Comme des albinonnes.

— Juste les nôtres?

— Non. Toutes les sœurs.

— Pas nécessaire de naître avec!

— De quoi vous parlez?

— C'est comme le curé: il parle pas avec de l'écho depuis qu'il est au monde.

— Elles se feraient teindre en blanc?

— La blancheur, ça s'apprend!

Quand on atteignait ce stade, on posait un silence de réflexion. Du coin de l'œil, on essayait d'attraper une réaction de Méo, une syllabe de non-verbal. Il était le seul à savoir. On demeurait à l'écoute du moindre rien, mais le coiffeur restait de glace. Aucun indice qui suintait. Méo laissait aller les encancans. Et les enchenchères. Le secret demeurait entier.

S'asseoir dans la chaise d'un barbier
qui se promène autour de vous
avec des objets coupants
est toujours un acte de foi.

YVES BOISVERT

Méo avait été lui-même très surpris quand il avait eu accès aux capines pour la première fois. Ça datait, déjà, mais ça restait tout propre dans sa mémoire. C'était un dimanche, sur un de ses jours de vacances en forme de congé féérique. Elles étaient venues malgré la pancarte annonçant FERMÉ dans la porte. Il les avait vues traverser la rue en queue indienne, les cinq vieilles sœurs avec leur face dans leur hublot. Elles étaient entrées comme chez elles. Sans rendez-vous. Et c'était la vieille, la Sœur Supérieure, qui était venue s'écraser la première le postérieur sur le fauteuil de fonction. Méo avait pompé la chaise par réflexe. C'était un siège hydraulique pour grimper le client à hauteur de trime. Rien pour le vertige, mais juste ce qu'il faut pour qu'on quitte la terre ferme et que les pattes de l'assise pédalent dans le beurre. Ça créait la brèche d'insécurité par où le coiffeur pouvait attaquer le patient.

Après que la passagère impromptue eut atteint son altitude de croisière, Méo enclencha le pilote automatique et attendit les instructions. Il clignait des ciseaux, nerveux, au-dessus de l'hémisphère gris. La demanderesse finit par placer sa commande.

— Méo, il va falloir procéder sans enlever la capine.

— Pas de problème, répondit l'artisan à la monastique, je peux coiffer les yeux fermés !

— Comment faites-vous, Méo? Vous êtes manuel? Ou auditif?

— Aucun des deux. Je suis ambidextre, madame !

Les sœurs firent chorus sur un signe de perplexité. Méo crut bon de sécuriser les voilettes.

— Mozart était sourd, puis ça lui a pas empêché de jouer du piano. Faites-moi confiance. Il faut juste me dire par où entrer...

Le coiffeur se pencha vers les franges les plus basses de la robe. Il descendit ses mains jusqu'à la base, jusqu'au talon de la cheville. Il trouva la brèche par où s'insérer l'intervention coupante. Entre l'arbre et l'écorce. Ses deux mains sous la robe, il les glissa doucement à l'ombre du couvre de la chef et entreprit le remontage. Progressivement. Il passa le tâton par les durs mollets et puis les cuisses, par les frissons des hanches et l'enchaînement des galbes. Les doigts du savoir-faire effleurèrent quelques reliefs physiques, quelques géographies intactes, bientôt les épines dorsales éparses et dociles. Toujours vers le haut, Méo dépassa les épaules, fit le détour par le cou et atteignit le sommet.

Touchant la caboche de la sœur supérieure, Méo eut la surprise de sa vie.

— C'est comment en-dessous des capines, Méo?

— Dis-nous-en juste une!

— C'est pas juste que toi tu saches, puis que personne d'autre puisse savoir!

Si le coiffeur refusait toujours de briser le mystère, il avait quand même un jour laissé poindre un reflet d'espoir. Une façon pour lui de lever une soupape sur la pression populaire.

— Quand il y en aura une qui mourra, je vous parlerai de ses cheveux.

C'était la façon pour s'en sortir. Avec cette indication d'échéance, croyait-il, son public allait peut-être enfin diminuer la fréquence des insistances. Et pour Méo, aucun accroc. Il en va du capillaire comme du droit d'auteur: une fois le propriétaire décédé, le poil redevient du domaine public. Il peut être coupé en quatre et redistribué parmi le monde.

— Ceci est mon cheveu, livré pour vous. Prenez et jasez-en tous.

Au grand bonheur de l'assermenté, les questions tombèrent en veille. Quelques regards et sous-entendus firent parfois des soubresauts accidentels mais, en général, le sujet glissa dans les filières de la patience. Le secret demeurait intact.

Méo touchait la cime de la Sœur Supérieure. Il découvrait un crâne en repousse, une pelure de duvet d'environ un pouce de longueur. Décontenancé. Il tâta un moment, pour bien s'assurer de l'égalité du partout, et attendit les instructions.

— On enlève tout, Méo!

Le coiffeur comprenait qu'il fallait remettre sur le caillou. Les sœurs vivaient donc chauves? Pour Méo, ça faisait une logique implacable. Les sœurs évoluaient sous le couvercle et n'avaient donc aucune raison logique de se préoccuper de leur coiffure, aucune bonne raison d'entretenir du gazon dans un garage.

Méo était sous le choc.

— On rase?

— Tout!

Le coiffeur avait éliminé d'emblée l'option du ciseau et s'était penché spontanément sur la pioche à barbe.

— Non!

La Sœur Supérieure regimbait. Dans un réflexe de légitime défense, elle avait saisi de sa main blanche l'élan spontané du coupeur. La pioche demandait une précision d'à-jeun. Méo était sur un dimanche et, donc, démanché. Dans ces cas précis des dates de congé, le coiffeur avait le facteur de risque élevé. Il travaillait ses heures en comptabilisant un salaire à temps double et pouvait accumuler une trentaine d'heures avant même le midi sonné. La pioche à barbe, trop dangereux. Elle refusait.

— Je peux quand même pas vous découronner avec des pinces à sourcils!

La Sœur comprenait, mais ne pouvait se résoudre à poser sa tête sur le billot. Il devait sans doute exister un juste milieu entre le scalp et l'épilation. Méo, le mieux placé pour dénicher les possibles, partit vers la cuisine. Il revint avec l'outil du compromis.

— L'épluche-patates?

— Un économe, ça enlève la pelure puis ça gaspille rien du légume!

L'équipe des sœurs avait hoché de l'accord unanime.

Méo dégerma la patate de la Supérieure en exhaustivité. Il n'y laissa que les yeux. Et la deuxième sœur vint à son tour se percher sur le fauteuil pour un traitement similaire. Et ainsi. Et de suite. Le quintette se fit arracher le relief avant de repartir ensemble, la matière lisse comme dans un front commun. Chacune dans sa percée de quatre pouces était radieuse. Coiffées en fesses sous le secret, les chauves souriantes allaient allégées et le pas prompt.

Le pompier se dirige vers la sortie, puis s'arrête.
— À propos, la Cantatrice chauve ?
Silence général, gêne.
Mme SMITH :
Elle se coiffe toujours de la même façon.

EUGÈNE IONESCO

De ce jour, se sentant en confiance entre les mains du tondeur de proximité, les sœurs prirent l'habitude de traverser la rue de façon régulière. Leur espérance de cheveux se découpait en périodes mestrielles. Elles ne coinçaient jamais de rendez-vous à l'avance mais se dégainaient la visite sur une intermittence mensuelle mesurée.
— C'est à cause de la mansuétude !
Aussi précises que la lune. C'était devenu un rituel. À chaque mois écoulé, Méo les voyait retontir. Débarquant parfois sur des heures de grande écoute, le coiffeur qui voyait accourir ses grises n'avait d'autre choix que de mettre gentiment son monde dehors. Et pour la complicité, il lui arrivait de cacher un indice dans l'allez-ouste.
— On va passer aux chauves sérieuses !
La clientèle docile acceptait de quitter pour la durée de l'intervention. Sur le pas de la porte, les capines mystérieuses croisaient les natifs et locaux expulsés, tous ces clients curieux jamais assouvis de la question. Dès que la place était vidée des non-initiés, Méo suivait les étapes sévères de la préservation du secret. Il fermait d'abord les rideaux de la vitrine et il barrait la porte. Ensuite, selon l'ordre établi par la Supérieure, il glissait son épluche-patates dans chacune des intimités velues pour en démembrer le gain de poil. Avec précaution, Méo dégarnissait le pouce de repousse. Ainsi jusqu'au crâne d'œuf. Et toujours à l'aveuglette.

Ça durait maintenant depuis des années. Après les séances, quand on voyait les cinq étoiles filer, il se trouvait toujours un voisin pour débouler au salon de coiffure avec l'espoir de surprendre des indices, de capter quelques traces d'adéenne pouvant servir à dénouer l'intrigue. Rien à faire! Le plancher balayé, les outils nettoyés : ne restait jamais rien de ce qui aurait pu ouvrir sur du potentiel à résoudre. Le secret demeurait encore intact.

LA FLORE INESTIMABLE

Par un beau jour de soleil, tout à son habitude matinale, Méo était à se gratter la ruche généreuse. La cuillère remplie, il porta les lèvres à son jus de mouches et fut saisi d'une nouveauté. Il y avait une cassure dans l'ordre du pareil auquel il s'était fait avec le temps. De son miel quotidien, la couleur n'avait pas changé, ni la texture. Pourtant, Méo décelait une bribe inédite. Il dégusta une fois de plus pour isoler la différence. À travers les ceriseries normales, il identifia une nuance dans le goût, un parfum neuf qu'il réussit à placer dans le cercle chromatique des saveurs : un soupçon de menthe. Dans le mille. Un effluve de mentholé. Jamais un tel relent n'avait résonné dans sa recette.

— D'où c'est que ça peut venir, cette menthe-là ?

La petite école du village située en face de chez Méo, en plus d'abriter les classes, portait dans son toit les habitations des maîtresses. Au rez-de-chaussée se trouvaient d'abord les grandes pièces à tableaux noirs où les pupitres s'alignaient proprement. Avec les années accumulées au compteur de la scolarité, tout le monde du village pouvait se vanter d'avoir profité de ces espaces à gymnastique cervicale, assez pour en connaître les racoins. À l'étage, que l'on atteignait par un petit escalier étroit, c'étaient les appartements privés du cheptel professoral. Quelques appartements communs en salon, boudoir, cuisine et salle à manger, mais aussi les chambres des sœurs. Pour offrir air et lumière à ce niveau résidentiel, quelques lucarnes perçaient les combles. De mémoire et par cancan, personne n'avait jamais eu le loisir de grimper dans ce domiciliabule.

Quand Méo découvrit le parfum de menthe dans sa denrée rare, en bon mielleur qu'il était, il entreprit de suivre le vol de ses mouches pour trouver les sources de la nouvelle épice. Il suivit de l'œil ses picouilles volantes et ne fut pas long à découvrir l'appellation d'origine qui assouvirait sa soif de traçabilité.

Fidèles à leurs habitudes, les abeilles volaient vers l'école. Étrangement, plutôt que de bifurquer à gauche pour contourner le bâtiment et aller s'empiffrer au verger comme elles avaient le réflexe de le faire, elles gardaient le cap sur le bâtiment pour aller tournoyer autour de la lucarne centrale du deuxième étage. L'essaim viraillait ainsi, faisait cercle autour des carreaux. Et c'est là que Méo fit la découverte.

À travers le cadre de la fenêtre, on pouvait voir une nouvelle sœur. Une belle jeune sœur, dans la fleur de l'âge et dans l'âge de la fleur. Par le trou de sa soutane, par ce hublot contenu dans la fenêtre à la manière d'une mise en abyme, elle montrait un visage doux, blanc, rond, potelé. Une face agréable à l'œil et joufflue de la joue. Avec ça, pour marquer les proportions, elle présentait une bouche accrochée sous le nez. Une bouche ? Un morceau d'apparat à classer dans les remarquables ostensibles. Des lèvres qui vous enlèvent les mots. Une cavité buccale garnie de la pulpe à la proue, charnue, fournie. De cette famille rare des babines qui attisent la faim plutôt qu'elles ne la sustentent. On en connaît tous une version de ce type de bouches gonflées qui, même une fois fermées, gardent une fente entrouverte, un petit millimètre de secours pour compenser les craintes d'asphyxie. Tourmentés par toutes ces rumeurs d'apnée du sommeil, il en faut bien quelques-uns pour craindre l'apnée de l'éveil. Chez elle, c'était une craque permanente pour briser la phobie du poumon.

Elle s'appelait Solange. Sœur Solange.

Suivant les règles strictes du Syndicat des Maîtresses d'École du Québec qui stipulent que, au-delà de trente-cinq enfants supplémentaires sur la liste des inscriptions d'une institution, on doive engager un nouveau professeur pour assurer l'accès aux sorties de secours, la Supérieure n'avait eu d'autres choix que d'appeler du renfort. Dans la dernière année, Madame Gélinas avait à elle seule accouché d'une quarantaine d'enfants. Ainsi donc, Sœur Solange avait été conscrite et avait dû quitter le piège social des Filles de l'Enfant Jésus sis à Trois-Rivières pour venir prêter main forte aux éduqueuses du Caxton en tant que sixième mousquetoune.

Solange ne fut annoncée en aucune grande pompe par les commissaires. On l'immigra en douce, avec l'espoir que chacun ne la découvrit qu'aux hasards des paraît-il, en tant que parent d'un élève, simple voisin ou curieux. Cette immersion de catimini, plutôt que de la faire passer incognito, la coiffa d'une aura de mystère qui allait la suivre longtemps. Pour rares détails de ceux qu'on put savoir concernant sa vie personnelle, il en fut un sur lequel tout le monde accrocha : Solange suçait des papparmanes.

Solange suçait. Par plaisir, d'abord, puis jusqu'à s'en faire une discipline et s'y acharner un peu trop. L'expérience aidant, Solange savait fondre le bonbon à la menthe à tous les temps de verbe. Jusqu'au subjonctif imparfait du s'il-eut-fallu-que-je-le-susse. Comme s'il le fallait. Elle s'en faisait presque un devoir. C'était une fallaitionniste. Et elle n'était pas de cette école à bâcler l'ouvrage en croquant à la moindre faiblesse de la pastille. Non! Solange figurait parmi les pompeuses appliquées. Elle était une suceuse de long cours à la vitesse de croisière, capable de tenir la friandise intacte pendant des heures. Une marathonienne de la margoulette. Elle portait la gâterie jusqu'aux limites de la destruction, elle étirait les possibles jusqu'à la frontière du nectar. À la fin, le bonbon devenait mince comme une hostie. Elle n'avait alors qu'à pousser légèrement la langue vers le haut, à se grimper la papparmane ténue dans le palais pour la faire éclater dans un dernier craquement fatal et en avaler l'agonie.

Ça ne prit pas goût de tinette avant que les abeilles de Méo viennent planter leur dard à succion dans la cible rose. Sensibles aux effluves neufs, elles eurent vite le pointu installé à portée du millimètre buccal de la sœur survenante. Chaque soir venu, elles revenaient au bercail, le clapet clopant et le jabot plein à déborder de cette mouture à la menthe poivrée.

Méo, de son côté, plutôt que d'y voir de la pollution de papparmanes dans son miel, avait dorénavant l'impression de diluer des baisers de Solange dans son café à chaque matin.

ROMÉO ET JUILLET

Solange avait l'âge de la menthe ; Méo, l'âge de l'amour. Solange jouait de la bouche à longueur de temps libres par la fenêtre perchée de sa lucarne. C'était une Juliette juteuse, appliquée à son art téteux. Méo faisait figure de Montaigu dans la modeste petite Vérone. Entre eux deux, les bourdonneuses battaient de l'aile pour maintenir le fil ténu d'une correspondance parfumée. Et malgré les entrecouperies du réseau de communication, on se croyait bien à l'abri de tous les poisons.

Méo trouvait la Solange belle. Lui qui avait sa maison juste devant l'école, il avait le loisir, par sa vitrine de barbier, de jeter fréquemment son œil frénétique en direction de la sœur neuve. Malgré la distance, il ne s'habituait pas à son charme. Pour ne l'avoir vu que de loin, il n'en nourrissait pas moins une fixation pour ce visage blanc et rond. Aussi, grâce aux promenades que faisait Solange dans le parterre devant l'école tôt après le souper, il avait pu, à travers la robe grise, par les formes qu'il s'inventait sur les mouvements de la marcheuse du soir, se déduire un surplus d'imagination. À l'invisible, nul n'est tenu! Méo la voyait de loin et rêvait tranquillement de la prochaine tonte des cuirettes où il verrait enfin la sœur prometteuse de proche.

Ce soir,
j'ai la lame à la tendresse.

PAULINE

Au moment où il ne l'attendait plus, le cortège s'annonça. C'était sur une fin d'après-midi. Méo, tout investi à débroussailler les favoris du forgeron, fut interpellé par un mouvement chez les voisines d'en face. Elles sortaient de l'école, s'installaient méticuleusement dans une file leu-leu irréprochable, et se donnaient le pas. Une procession. Pour le coiffeur, enfin ça voulait dire que Solange s'en venait chez lui. Et qu'il fallait vider le salon. Faire place nette. Il interrompit son tour d'oreille sur-le-champ. C'était l'heure de la horde à remettre en ordre. Le forgeron eut beau se plaindre de l'asymétrie de ses poils de tempes, Méo ne put que lui promettre un raccord pour le lendemain. Et tout le monde fut mis à la porte. C'était la condition *sine qua* nonne.

Les sœurs se pointèrent d'abord par le bout de l'aînée. La Sœur Supérieure, en figure de troupe, agissait comme reine de ruche. La ruchissime. Consciente de ses effets, elle modéra le pas pour étirer le suspense avant l'entrée de la sixième. Comme une rosette au grand vent, Méo tenait la porte ouverte et pliait de la courbette polie à chaque individuelle qui entrait. Il compta une, deux, trois, quatre, cinq... Et Solange. Elle y était. Sa lointaine enfin zoomée.

Réservée, Solange passa le pas de la porte sans même lever le regard sur l'artisan. Méo se retint bien de laisser poindre un quelconque trouble émotif, cela aurait passé pour un manque de classe auprès du corps professoral. Pour éviter la lourdeur de l'attente et du silence, il invita tout de suite la plus plissée de l'équipe à prendre place sur son siège. Comme par les fois précédentes, il la pompa à hauteur de besogne et s'appliqua à insérer son outil dans les robes jusqu'à rejoindre le sommet de son art. À destination, il sortit la langue à la longueur de la lame et se lança dans l'écorçage.

Il éplucha les caboches de chacune de ses abonnées. Poussant le naturel au galop, il tâcha de garder un minimum de contenance pendant tout ce temps que dura la fauche des vieilles sœurs. Chacune tendant son destin à l'épluche-patates, avec la confiance établie de l'habitude, les vieilles peaux passaient sous le couperet sans se douter de l'agitation qui ébranlait le coupe-chou. Malgré sa tête ailleurs, le tailleur décapitait ses fidèles sans causer aucune blessure. Il en décompta une, deux, trois, quatre, cinq... Et on y était enfin. Au tour de Solange, qui n'avait toujours pas levé la tête depuis le début de l'opération.

Dans la préconcision fantasmée du coiffeur, le scénario avait été maintes fois révisé : à son tour venu, Solange allait s'assoir sur le siège capitonné, dégrafer sa capine, libérer une crinière longue en la poussant loin dans son dos, libérer sa nuque et pencher la tête un peu pour poser un regard oblique sur Méo et demander une permanente. Paf.

Mais non.

Dans la réalité, les cinq vieilles têtes étaient revenues à l'état de sphères. On en était à la plaque tournante. Les secondes semblaient plus longues qu'à l'instant d'avant. Solange demeurait repliée sur elle-même, camouflée dans ses drapés. Méo, pour provoquer l'action, tourna la chaise vers elle. Une manière de lui indiquer la bienvenue. Il toussa pour l'hospitalité.

— Huhum !

Solange secoua ses voilures. Méo insista un peu.

— Mademoiselle ?

Dans un ralenti de film où ne manquait que la musique, Solange montra la figure. Elle releva l'angle du menton jusqu'à porter son regard dans celui de Méo. Les deux rayons se croisèrent et le coiffeur fut atteint. La lumière dans ses yeux. De l'espoir. C'était la part de soleil dans l'ange. Solange. Solange. Elle avait du brillant dans les deux cavités. Comme si on lui avait allumé des cierges dans les grottes oculaires. Méo en fut saisi. Le poil debout sur les bras. Et Solange, pour seule gesticule et avec une timidité respectueuse, leva la main en guise de merci. Comme un « non » sans les lettres. Elle refusait le traitement de la trime.

Les cinq consœurs opinèrent à la chef. Elles se levèrent, absorbèrent la nouvelle dans leur rang et repartirent comme une volée d'outardes.

Le lendemain matin, à l'ouverture du salon, les questions fusèrent en réactions.

— Puis, Méo, les cheveux de la jeune sœur ?

Méo ne répondit rien.

Sur le coup, Méo n'avait pas su comment réagir. Solange avait dit non. Bien conscient d'être le seul spécialiste de la couette à des milles à la ronde, il avait vite fait de se ressaisir. Elle avait été trop timide, pensait-il. Pour une première fois, c'était normal. Elle avait préféré se profiler. Mais elle ne dirait pas non la prochaine fois. Elle reportait d'un mois, d'une certaine façon. Simplement. C'était un ajournement. Méo attendrait la prochaine échéance avec un professionnalisme patient. Pas d'autre choix de toute façon.

Le mois passait. Méo dépensait ses soirées assis sur sa galerie à surveiller la lucarne de la petite école. Pour chaque soir agréable, sur un berçage de mois d'août où les moustiques ont battu en retraite, il observait le passage des deux étoiles neuves dans la fenêtre de Solange. C'était des perséïdes clignantes qui déambulaient à intervalles irréguliers. Méo y tenait l'œil, à attraper les passages fortuits, dans une constellation consternante et qui le concernait. En éleveur d'abeilles, il connaissait l'art volatile et était en mesure d'apprécier le talent d'une dresseuse d'étoiles.

Le duo de filantes continuait de venir bengaler les brunantes. Et Méo, suivant la superstition, rêvait des vœux en paire de deux. Il se découvrait enfin un signe astronomique.

Trente et un jours avant que les étoiles ne se réalignent dans le calendrier. Sans surprise, mais avec une nervosité affutée, Méo vit revenir la demi-douzaine qui se pointait la rasade. Comme à la coutume, par ordre d'apparition, il éplucha les habituées et arriva vite à la novice. Pour sa seconde visite, Solange répéta la chorégraphie charmante. À son tour sur la liste, elle releva la capine, aligna ses yeux de lumière dans l'invitation de Méo et, d'un geste poli, déclina l'offre. Méo, décalotté, sut quand même garder la tête froide. Il n'insista pas, mais choisit plutôt de se dire en lui-même qu'elle finirait bien par flancher. Le temps aurait raison. Quand le toupet lui mangerait la moitié de son hublot, elle n'aurait pas le choix de se laisser faire.

Il en fut ainsi et de suite. Le miel gardait ses relents de men-
theries et l'attente des rendez-vous effeuillait les pages du calendrier. La Solange nourrissait ses manies de Nitouche et de taci-
turne. Elle repoussait systématiquement les invitations de Méo
quand venait son tour de prendre place sur le fauteuil d'opéra-
tions. Elle ne disait rien. Jamais un mot. Elle relevait ses yeux
lumineux vers ceux de Méo, elle posait sa simagrée manuelle
accompagnée d'un signe de la tête. Elle levait le nez, sans aucune
condescendance, mais toujours en laissant comprendre qu'elle ne
souhaitait l'intervention de personne. Une cloîtrée pas finie de
lâchée lousse. Et ses refus ne faisaient qu'ajouter aux attirances
déjà vives de Méo.

Avec la répétition, et parce qu'on comptait presque une
année depuis la première visite sans qu'elle ne se commette, Méo
se lança pour lui-même quelques hypothèses qu'il se confirma à
mesure. À la longue, un coiffeur se méfie du court. Parce qu'on
a la tendance naturelle à croire que les rares du ciseau sont de
ceux qui se les font pousser jusqu'aux fesses. Et pourtant. On
oublie trop souvent que les chauves demeurent encore dans la
liste des records pour le nombre d'absences au rasoir. Solange
n'avait jamais besoin de se faire couper les cheveux ? Sans doute
parce qu'elle était une chauve naturelle.

LA FORMATION À DISTANCE

Fin août. Une année avait passé et la Solange continuait de nourrir les présomptions de calvitie. Le coiffeur n'accédait toujours à sa voisine d'en face que par la lucarne et le miel.

Méo faisait l'alcool buissonnière. Caché dans la haie de cèdres qui faisait frange devant l'école du village, quelques bières frettes camouflées à portée de coude, il suivait des cours par espionnage. Ce jour-là, à son grand bonheur, Solange s'étalait l'arithmétique dans tous les sens. Le plan de cours parlait de polygones et d'angles incarnés, se perdait dans des secondes de fractions et des formules de pi au cube.

Méo fermait parfois les yeux pour apprécier cette voix de miel qui jurait tant avec la droiture des lignes. Pour lui, toute cette matière manquait de rondeurs pour la messagère magnifique.

À un moment, pour venir donner du concret à la formule de Pythagore, un rayon de soleil déroula son axe et vint se péter une hypoténuse directement dans la nuque de l'enseignante. À cause de ce surplus de lumière dans le cou de l'institutrice et de ce qu'il exposa, tout le pronostic de Méo fut remis en cause. Un instant d'éclairage avait suffi pour contredire une année complète d'observations.

Malgré la distance, Méo avait pu apercevoir, s'échappant du rebord de la coiffe à secrets, un cheveu. Un. Un seul. Pas une touffe. Un brin dans la corniche. Comme un grand doute s'écoulant de la tunique, assez pour faire s'effondrer les plus grandes certitudes. Un fil mince et long d'environ six pouces, collé à la peau par quelques gouttes de rosée nucale.

Méo eut le temps de poser son diagnostic : c'était un crin pâle, dans la gamme des dorés, avec de l'onde à boudins. L'information saisie, il ferma les yeux pour s'en tirer une extrapoliation immédiate : Solange était une blonde bouclée fournie. Voilà.

À partir du moment où cette révélation avait eu lieu, tout l'horaire du sommeil du coiffeur fut à refaire. Il rêvait trop. Il passait le film de ses nuits à visionner une voisine blonde fournie, des boucles dorées tombant sur ses épaules. Méo ajouta une sieste d'après-midi à son plan de repos pour pouvoir décauchemarder un peu plus. C'est aussi à ce moment qu'il commença à dormir avec ses lunettes. Pour être sûr de ne rien échapper du passage de son fantasme s'il advenait qu'elle s'offre en plan large dans ses songes cinématographiques.

Il y avait maintenant les cheveux à ajouter aux doses de miel et de menthe. Méo, malgré le peu, en avait déjà beaucoup. Il tombait microscopiquement en amour. À la vitesse d'un poil qui pousse. Sur un soir de pleine lune, il alla jusqu'à pousser sa petite table à manger près de la fenêtre. Il y plaça deux assiettes, quelques brindilles à croquer et une bouteille de rouge. Avant de servir, il tourna la crémone pour craquer l'ouverture et ouvrir les battants. La pleine lune et le visage de Solange dans la lucarne. De ces rares soirs mythiques de lune double.

Le souper fut doux. Et dans la brise du soir, les effluves de papparmanes vinrent nourrir l'illusion d'un tête-à-tête. Le suçage se sniffait jusque chez le coiffeur. Quand Méo en fut à vider le fond de la bouteille, la dernière goutte trouva à s'exploser dans le fond de son propre verre et il se dit pour lui-même : marié dans l'année, Méo !

Solange avait une voix pour l'enseignement. Exprès. Une voix pédagogique. De ce grain dont on retient la leçon. Méo avait pu l'entendre, à distance, récitant la table de deux dans l'axe des multiplications devant la trentaine d'élèves. La table de deux, comme dans un souper en tête-à-tête. S'il l'avait entendue compter pour d'autres, Méo n'avait encore jamais eu la chance de recevoir cette parole scolaire adressée à lui personnellement. Jusqu'à ce jour.

C'était l'heure de la tonte pédagogique : les cinq vertes de grises et la jeune imberbe suceuse venaient sonner la routine au salon de coiffure. Méo avait donné fort dans le verre. Du coup, il n'était pas dans son assiette. Profitant du silence du sextette à raser et inspiré par son mal de cheveux, il se plaignit des difficultés du métier. Il commença par livrer son classique voulant que les cheveux poussent moins vite qu'avant. Il versa ensuite dans la dose sentimentale en ajoutant que le monde ne l'aimait que pour ses ciseaux. Il prit l'angle de la victime en se plaignant qu'il fallait avoir le dos large pour être accusé de tous les échevelés de la planète. Enfin, il poussa la note jusqu'à l'enrôlement spirituel.

— La coiffure, c'est une vocation !

Soupir. Si on suivait le raisonnement de Méo, se faire barbier c'était autant prenant que se faire curé. Pour porter le coup de grâce, il osa même parler de chasteté.

— J'ai même pas de femme.

La Supérieure perspicace avait bien vu les indices dans le changement de comportement de Méo. Depuis les abeilles dans la menthe jusqu'aux soirées d'observation des étoiles, elle avait fini par comprendre que le coiffeur penchait de l'attirance vers la Solange. Le voyant louvoyer dans un discours d'amour, et comme elle ne voulait surtout pas qu'on dérape dans une déclaration qui ébranlerait la jeune recrue dans son missionnariat encore candide, elle proposa une conclusion au sujet en cours.

— Mais c'est simplement parce que vous n'avez pas assez de temps pour avoir une femme. Voilà tout!

Méo se tourna dans sa direction. Il prit son souffle et il doubla la mise.

— La vérité, c'est parce que j'ai un amour impossible!

Oups. On posait le pied en terrain miné. Était-ce de la détermination à se livrer le sentiment ou alors Méo avait-il échappé les rênes de ses palpitations? La Supérieure, pour dernière stratégie avant l'agressivité, déroula une sortie de théologie démagogique pour paraboler sur l'histoire apocryphe du gars qui se plaignait tout le temps du fait qu'il n'avait pas de souliers. Elle accusa indirectement le coiffeur de se lamenter pour rien. Le gars qui n'avait pas de soulier?

— Un jour, en sortant de chez lui, il a rencontré quelqu'un qui n'avait pas de pied, avait-elle conclu.

Méo, loin de perdre sa superbe et profitant de ce docile public de capines, renchérit en prétendant qu'il en avait connu un dans la même veine. Celui-là qui avait souffert de la calvitie jusqu'à la chauvette totale. Lui qui se plaignait sans cesse du fait qu'il n'avait pas de cheveu. Un geigneux. Jusqu'au jour où, sortant de chez lui, il avait rencontré quelqu'un qui n'avait pas de tête.

Les silences faisaient pont entre les salves discursives. La Supérieure avait trouvé taille à sa chaussure. Habituée à ce qu'on l'écoute sans chigner, elle découvrait sa faiblesse de stratégie argumenteuse à la première défensive venue. Le coiffeur, pour sa part, sentant qu'il avait percé sa dernière ligne de protection, remit la rondelle au jeu à l'endroit où elle était quand l'arbitre avait sifflé.

— J'ai un amour impossible…

Sœur Solange, qui n'avait rien laissé transparaître de ses émotions pendant toute la durée de la joute oratoire, n'en put plus de se retenir et échappa son empathie. Elle qui n'avait jamais émis un son en direction de Méo, elle qui cachait ses cheveux, ses mots, ses intentions entières. Solange, cette Solange lumineuse et odorante de papparmanes en salive, donna enfin un signe de vie audible à son voisin. Elle leva ses yeux de cierge et vint les déposer dans ceux de Méo.

— J'ai déjà rencontré quelqu'un qui n'avait même pas de cœur...

Méo tentait de se faire à l'idée de l'impossibilité amoureuse qui existait entre elle et lui. Les abeilles continuaient de butiner Solange et, bien qu'il trouvât là une forme de rapprochement vers les lèvres désirées, Méo se savait encore loin du baiser. Marier Solange? C'était comme si on décidait d'aller en char à Paris. Il demeurait un grand segment manquant entre les deux continents. Il se satisfaisait quand même du symbole de la lune de miel. Et Solange avait choisi le bon Dieu. Pour Méo, ça faisait un adversaire de taille. Avec humilité, il prenait le parti de se retirer de la course.

Les abeilles doivent être rangées l'automne venu. Une abeille, ça se classe dans la famille des outils de gazon. Autrement, par les nuits de gel, les instruments de vol sont affectés et les trajectoires prennent du flou. Sur septembre avancé, les gens du métier vous le diront, il est de mise de se remiser le bétail.

Or, Méo, cette année-là, étira la belle saison des baisers de Solange. Sur ce début de déclin et jusqu'aux feuilles en couleurs, bien qu'affectées de plus en plus par le refroidissement des jours, les volages continuèrent tant bien que mal à fournir la platonicité. Puis vint le matin du 1er octobre. Méo, dès le lever du lit, alla se gratter la ruche. Il goûta un échantillon de sucré et fut saisi. Dans son miel, plus aucune trace du parfum de menthe.

Méo frappa à la porte de la petite école. En urgence. En pyjama. Il pressentait du pas bon. Il craignait du pire. Il cogna encore une fois. Plus fort. Et c'est la Supérieure elle-même qui vint ouvrir.

— Ah. Méo. J'étais justement pour aller vous voir.

— Est-ce qu'il est arrivé un malheur à la petite école ?

— Écoutez, Méo...

Méo ne voulait pas le croire.

— C'est impossible! Solange avait mon âge!

La Supérieure laissait passer le noyau. Méo ne se calma pas.

— Est-ce qu'elle était malade?

Elle n'était pas malade, Méo. Simplement, nous ignorions qu'elle était allergique aux piqûres d'insectes.

L'œdème de Quincke. Une rareté de syndrome qui entraîne, au moindre dard, un gonflement de la personne, une enflure générale qui serre jusqu'à la gorge et engendre l'asphyxie. Une fois l'effet passé, la personne dégonfle, mais c'est déjà trop tard. La respiration ne reprend plus. Le cœur s'est envolé.

— Elle a pas pu manquer de souffle, elle avait une craque de bouche ouverte en permanence. Son millimètre entre les lèvres.

— Si vous saviez, Méo... Une fois gonflée, Sœur Solange avait les deux babines embouvetées l'une dans l'autre. Plus la moindre fente où faire passer l'air.

Méo pouvait nier, refuser d'y croire, chercher un miracle, mais la Supérieure lui tenait le nez dans la vérité. Il tentait de reprendre sur lui. Pour lui ajouter au réel, la Supérieure informa le coiffeur de la suite des procédures.

— Nous aurons besoin de vous, Méo. Le corps de Sœur Solange sera exposé et enterré samedi prochain. Idéalement, si vous pouviez venir vendredi soir... Pour la coiffer avant les funérailles.

— Je vas y être. Promis.

En tant que préposé aux touffes du village, c'est à Méo qu'incombait la tâche des moments marquants. Du baptême de la première coupe chez le bébé naissant aux frisettes de la première communion, du lustrage du mariage à la coloration des premiers cheveux gris, et encore, Méo œuvrait jusqu'aux trépas. Il n'en serait pas à sa première coiffure d'un cadavre. Pourtant, cette fois-ci, la charge émotive dépassait toutes les peigneries posthumes auxquelles il s'était adonné déjà. S'il se trouvait une mince consolation dans le drame, elle résidait dans l'enfin qu'il verrait les cheveux de Solange. Ce petit plaisir, pourtant, s'était vite noyé dans la tristesse.

— Nous vous attendrons vendredi soir, avait dit la Supérieure.

Ça donnait cinq grosses journées à Méo. Cinq éternités, comme des montagnes d'insupportable à virer en rond dans les débris de son cœur.

Pour éviter de perdre sa semaine à ruminer sa peine, Méo résolut de s'occuper. Il attrapa son sac d'outils pour coiffage à domicile et entreprit de faire le tour du village pour une trime générale. De la mise en plis sur le bras. Gratuit. Pour que tout le monde soit beau au samedi venu. Il fit comme pour les peignages lors des noces. À toucher tout le monde pour finir par les concernés. En cercles concerniques. À coiffer du plus loin voisin pour ensuite s'approcher, attaquer les amis, les parents éloignés, bientôt les proches, les germains, les bouquetières et, au final, les mariés. Au nombre de têtes répertoriées au village, ça lui prenait chaque fois la semaine. Pour le service de Solange, il en irait de même. À coiffer large dans les sympathies, en amincissant toujours comme pour un dégradé. Au vendredi soir venu, il finirait par la défunte. La morte, quand même, c'est elle qui méritait d'être la plus fraîche.

Et si pour le commun des entre-nous il en irait du réflexe des cheveux en berne pour marquer la mort de Solange, si on se laisse prendre à l'image d'un village d'empesés souhaitant noyer tous les coqs et couettes flottant au vent, on sous-estime Méo. Notre coiffeur choisit le chemin inverse. Il s'ambitionna dans sa mission. Tout le monde serait beau pour l'adieu à Solange. Le service funèbre aurait des airs de noces. Peut-être que, pour une fois, on sublimerait un bout de la mort pour en faire un brin de lumière.

La veille du samedi, en début de soirée, Méo se présenta à la petite école avec sa trousse. Comme prévu. On le fit entrer et monter l'escalier, ce passage marquant la frontière entre l'espace public et le grand secret. Gravissant les degrés, le coiffeur tentait de mesurer son privilège d'accéder à l'étage confidentiel. Une fois en haut, il se fit indiquer la chambre de Solange. Sous le supervisionnisme des cinq vieilles sœurs qui appliquaient la stratégie du clignement alternatif des yeux pour éviter un aveuglement total au cours duquel on aurait pu leur passer un inaperçu, Méo tourna la poignée de porte de la chambre.

Première image : celle de Solange gisant sur les planches, étendue sur la table, toujours enveloppée dans ses robes et capine. Le visage blême. La bouche immobile et entrouverte. Méo bloqua un instant sur le pas de la porte pour absorber le choc. Un temps. Et il entra dans la pièce comme on entre en chapelle. Il détailla le décor. Le cercueil encore vide était posé sur le lit, ouvert. Il jeta un œil par la lucarne pour attraper cette vue de chez lui, celle que Solange avait eu pendant des mois.

Bouleversé, Méo inspira profondément et remarqua un fort parfum de papparmanes dans l'air.

— C'est pas possible qu'elle suce encore ?

Petit silence. Et la Supérieure donna réponse en expliquant que Solange avait manifesté le souhait de sucer pour l'éternité.

— C'était dans ses dernières volontés, Méo.

Elle expliqua qu'elle avait accompli le désir de sa collègue, qu'elle lui avait rempli la bouche d'autant de bonbons qu'elle pouvait en contenir.

— Quatre boîtes, Méo. Elle va sucer jusqu'au Jugement.

...

— Allez, Méo ! Procédez, maintenant !

Il était temps de se déguédiner. Méo ramassa son courage et s'approcha de l'extrémité chevelue du cadavre. Dans la douceur, avec un respect de première fois, ou une tendresse de dernière, Méo glissa ses doigts dans la nuque frêle de Solange. Il défit le lacet et retira soigneusement la capine de la tête de la belle.

Ça prend toute sorte de cheveux pour faire un monde. Méo le savait. Avec l'expérience, il s'était accumulé une somme d'incroyabilités capillaires à partir desquelles il avait fini par tirer la prétention d'avoir tout vu.

Il faut dire qu'il avait la palette large, Méo. Il avait connu des frisés qui voulaient du plat et nourri de l'empathie pour des plates qui demandaient des bigoudis. Il avait été appelé en renfort par les pompiers parce qu'un enfant qui s'était endormi près de la fenêtre en hiver s'était réveillé les cheveux gelés dans le bourrelet de glace du carreau de vitre. Il avait connu des bessons nés siamois par le bout des cheveux, avait été conseiller pour un potichiste qui élevait des caniches en vue d'en faire des perruques. À la question concernant l'abolition de la peine de mort, Méo avait entendu du monde annoncer que les cheveux courts, ça pouvait aller, mais que la guillotine, c'était exagéré. Méo avait même subi les reproches de clients sur sa consommation d'alcool.

— C'est pas normal, Méo, que ça soit toi qui boive et moi qui aie mal à la tête !

Au moindre cheveu croche, on lui passait sur le dos.

— C'est-tu de ma faute si les cheveux poussent pas égal !

Untel qui décidait de ne plus se peigner, et ça passait sur sa faute. Du vent dans les cheveux d'un autre, et on l'accusait encore.

— Avez-vous déjà vu quelqu'un avec les yeux croches en train de blâmer le vendeur de lunettes ?

— Non, Méo !

— Non ? Ben allez donc vous faire oculer !

Méo ne se surprenait plus de rien.

Ce soir-là, pourtant, placé devant la tête découverte de Solange, le coiffeur dépassait la limite de ses probabilités. Lui qui pensait avoir fait le tour se voyait repoussé à la frontière de la réalité.

D'ors. Et déjà. Méo découvrit, sur la tête de Solange, trois cheveux. Trois cheveux blonds. Rien d'autre dans l'inventaire du crin. Que trois.

Trois cheveux seulement, mais des magnifiques. Ceux d'une femme qui avait choisi la qualité plutôt que la quantité. Trois cheveux d'or, cheveux d'ange, gondolés et ondoyants dont on pourrait un jour tirer plaisir à affubler d'une symbolique hirsute allant d'une trinité à poux à un tour du chapeau, selon le degré de religion.

Les ficelles s'étirant au-dessus de la tête de la Solange inanimée, ça lui donnait des allures de marionnette à fils abandonnée. Méo prit le temps de dérouler les trois filaments, de les démêler. Il avança, avec son peigne et sa misère, jusqu'aux bouts des tiges. On en saisit alors la longueur véritable. Même les vieilles sœurs en furent confuses. Les cheveux étaient longs comme un record à battre. Longs jusqu'à demain. À tenir tête à ceux de la princesse Rapunzel elle-même. Les cheveux de Solange, malgré les vagues, devaient faire au bas mot deux ou trois fois le tour de l'école.

Méo, sous les regards clignants des surveillantes, non seulement se trouvait pour la première fois de sa carrière placé devant une tête à trois brins, mais encore, il n'avait jamais eu à en peigner de si grands. Arrivé au bout des mèches, il n'avait encore pour seule solution que celle de revirer la chose en banal chignon. Il tenta de cacher son dépourvu. En vain. La Supérieure avait senti le malaise.

— Méo, permettez-moi de vous dire, avant de vous laisser commencer votre ouvrage, que Sœur Solange aimait beaucoup... les tresses.

— Voilà!

Méo reprit contenance. C'était comme si le souffleur avait redonné sa réplique à l'acteur.

— Je vous cacherai pas qu'en bas de trois cheveux, j'aurais été fourré, mais à partir de trois cheveux, si on me le demande, je tresse avec plaisir!

Le coiffeur commença à flipper de la natte, à renverser un cheveu sur l'autre, méticuleusement, dans un geste répété et sans fin. Il accumula les entrelacements jusqu'à faire apparaître le motif fléché d'une tresse microscopique. Il atteignit la longueur d'un pied, et rapidement celle de deux. Il prolongea jusqu'à dix et bientôt jusqu'à cent. Patient, il croisait les fils sur les heures et conservait son rythme sans ralentir. Cinq cents pieds. Bientôt le mille. Méo coulait sa tristesse dans la tresse. Avec les meilleures intentions, il déroulait la longue haleine et le marathon minutieux. Le mouvement sans cesse renouvelé semblait faire fi de mantra, Méo atteignait une forme d'état second.

Un mille et demi. Deux milles. Pendant des heures, les doigts de Méo tissèrent les extrémités de Solange. La nuit s'égrenait dans la sablière. Les vieilles superviseuses vacillaient aux frontières de Morphée. Elles clignaient des clous. Méo se forçait à tenir le cap, mais même pour lui, le mouvement devenait flou. Par une forme d'hypnose de la répétition du geste, il prenait le fixe et perdait une partie de sa conscience dans les longs bouts droits. Sur le point d'atteindre le fil d'arrivée, à quelques courtes courdées de conclure sa mission, Méo perdit contact avec la réalité. Un instant. Et une inadvertance.

PLING!

Un faux geste. Presque rien. Si peu, mais beaucoup trop. Méo avait cassé un cheveu.

Méo tirait doucement la ficelle brisée pour en sortir le bout de la tresse. Il hâla, hâla, se répétant à chaque brassée que ça ne pouvait quand même pas s'être dépeloté à la racine même. Et pourtant. La longueur extraite du cheveu annonçait le pire. Méo atteignit finalement le bout du fil et y découvrit le nerf d'attache. Malheur. La tresse était complètement détruite. Et l'artisan autant que l'ouvrage. Comme il s'en voulait. Comme il se reprochait de n'avoir même pas été capable de toucher Solange une fois sans l'abîmer. C'était comme s'il avait porté atteinte à l'intégrité esthétique de la belle. Son malaise le pliait en deux.

— Méo, nous n'avons pas le temps de nous débiner, lança la Supérieure. Il nous reste un petit moment encore.

— J'ai arraché un cheveu, madame.

— Je sais.

Elle prit sa voix de sagesse.

— Il faut que vous sachiez, Méo, que Solange préférait, par-dessus tout... les lulus.

Méo avait sorti son peigne pour séparer la chevelure en deux et dessiner une nano-raie. Il avait ensuite pêché dans sa poche un élastique noir et entreprit de l'enrouler autour du cheveu qui se trouvait du côté droit de la tête de Solange. Dix tours, onze tours, douze tours. Ça tenait bien.

Il passa du côté gauche, s'arma d'un second élastique et embobina l'autre fine couette. Dix tours, onze tours… La tension était plus forte dans ce cordon-ci que dans le premier. Quelqu'un d'amateur en la matière coiffante aurait sans doute eut le réflexe de conclure au onzième tour. Pour Méo, cela aurait tenu du sacrilège. Le professionnalisme, d'abord, mais la pensée Peigne Shui surtout, lui interdisaient de laisser partir Solange chez les éternels avec deux élastiques qui se contredisaient. Impossible.

Méo amorça un douzième tour.

PLING !

Un deuxième cheveu venait de lâcher.

Tous les habitants du village se présentèrent à la cérémonie. La grande déception fut celle d'apprendre que Sœur Solange était exposée à cercueil fermé. Pour le coup, personne n'eut le bonheur de l'admirer une dernière fois avant l'enterrement.

Le service passé, le rassemblement se déplaça vers le cimetière. Une foule immense se massa autour de la fosse. Méo se tenait dans le premier rang, les deux pieds sur le rebord du trou. Il fixait le coffre qui descendait douloureusement en emportant sa belle. Son amante religieuse.

La douceur du miel
ne console pas
de la piqûre de l'abeille.
<small>Proverbe français</small>

Méo revint chez lui après les sandwichs croûteuses. Il rapportait, avec son deuil, un lot de colère insurmontable. Plus aucun doute pour lui. Nous étions en octobre. Quel insecte avait pu piquer Solange si tardivement dans la saison ? L'œuvre mortelle était celle de ses propres picouilles.

Méo revint chez lui pour découvrir que sa ruche était vide. Les volatiles étaient en cavale. Il en profita pour passer aux actes. Il récupéra la boîte blanche et la transporta par l'entrée de cave pour la remiser dans son sous-sol, hors d'atteinte pour ses mouches.

En début de soirée, les assassines rentraient au bercail comme si de rien n'était. Mauvaise surprise : leur domicile avait disparu. Elles survolèrent les alentours avec l'espoir qu'il s'agisse d'un simple petit glissement de terrain. Mais non. Plus rien. Et la nuit s'annonçait froide. Dans un élan de détresse, l'essaim se résolut à faire appel à son pâtre. Chacune, successivement, vint se péter la tête dans la fenêtre de la cuisine pour alerter les secours. En vain. Le coiffeur ne se retourna même pas.

Il y eut quelques matins de gelée blanche. Et le jour se leva enfin sur la première neige. On retrouva cinq petits points noirs inanimés dans l'immaculé de l'aube.

Méo coula ses nuits d'automne et de début d'hiver dans le fond de sa cave à défaire la cire contenue dans chacun des cadres de la ruche. Il récupéra la totalité de la matière et la déposa dans une gouttière qui s'était détachée du toit. Avec les deux cheveux arrachés à Solange, il s'inventa une torsade qu'il déposa dans la cire. Et il démoula le tout pour s'en faire un long, très long cierge qu'il laissa brûler chez lui vingt-quatre heures par jour pendant des années. Au sommet de la chandelle, c'était la même étincelle que celle qui avait brillé autrefois dans l'œil de la belle. La flamme était vive et laissait planer dans la maison un parfum de papparmanes. Les yeux fermés, juste par le nez, Méo avait l'impression de concubiner Solange en posthume.

Méo étirait son deuil et sa fleur de peau. On ne l'avait jamais vu aussi bas dans les tondages. Et il but. Le calendrier liquide ouvrait ses vannes toutes grandes. Il réussit à engloutir une année bissextile en moins de six semaines. Tout le monde était témoin de la grande déchéance, mais personne ne savait comment intervenir. Ce fut Toussaint Brodeur, vendeur de bière, qui prit un soir sur lui de remonter le moral de son ami.

— Chaque cheveu fait de l'ombre sur terre, Méo!

Et Méo de pleurer dans son verre.

— J'y ai cru longtemps aux cheveux qui font de l'ombre, Toussaint, jusqu'à temps que j'en trouve qui faisaient de la lumière…

UNE BLONDE À RETARDEMENT

Par un soir où tout le monde était soûl, le discours se mit à tourner autour du pot aux roses. Dans le pompettisme généralisé, Méo n'avait pas vu venir le coup. Au détour d'une digression, comme si tout ça n'avait rien de prémédité, la question profita d'un interstice dans la discussion.

— Et puis, Méo...

Le cheveu allait sortir du sac.

— ... maintenant qu'elle est morte, la Solange, tu vas pouvoir nous dire la vérité. Ils étaient comment ses cheveux en-dessous de sa capine?

Méo prit une gorgée. Elle était morte. Le serment d'Hypocrite ne tenait plus. Il fallait répondre.

— Solange, c'était une blonde bouclée, lâcha-t-il.

Un silence suivit pour donner le temps à chacun de se faire de l'image.

Sur la fin de la soirée, presque tout le monde était parti, et Toussaint osa demander de la précision.

— Elle était peignée comment dans le cercueil, la Solange?

Méo éveillerait plus de soupçons à se taire qu'à simplement dire.

— Solange, on l'a enterrée avec une queue de cheval.

LA PIASSE QUI MANQUE

Souventes fois dans les histoires de Saint-Élie-de-Caxton, il est répété que Toussaint Brodeur, sous le couvert du marchandage général, aurait vendu de la bière illégalement pendant cinquante ans de sa vie. À ça, ma grand-mère ajoutait qu'à chaque bière qu'il avait servie, Toussaint en avait pris une gorgée. C'était sa façon. Il plantait le nez de la bouteille froide dans le débouche fixé au comptoir — pshit! — et, avant d'aller reconduire le contenant dans la main du client, il faisait un détour par sa bouche pour en subtiliser une dose.

— Si je veux pouvoir garantir mon stock...

Tout ce qui se trouvait à vendre dans le magasin de Toussaint venait avec la garantie. Pour pouvoir appliquer son engagement de bonne qualité, le marchand devait prendre le temps de tester tous ses items avant de les vendre. C'était devenu un rituel auquel la clientèle s'était habituée. Tout l'inventaire devait passer entre les mains du marchand pour être éprouvé avant de conclure la transaction. Vous achetiez une boîte d'allumettes, Toussaint prenait le temps de les gratter une par une devant vous.

— Tu vas pas revenir me voir dans un mois pour me dire qu'il y en a une dans le paquet qui marche pas!

Les allumettes qui ne prenaient pas feu dès la première tentative, il les gardait pour lui.

Pour Méo, cette règle de fonctionnement n'aurait pas posé de problème si ça n'avait pas affecté le service de la bière. Seulement, quand il voyait le barman lui siphonner du millilitre à pourcentage, ça lui horripilait le poil sur les jambes.

— Toussaint, ça me dérange pas que tu goûtes, je te demande juste de recracher la gorgée dans ma bouteille plutôt que de l'envaler. J'achète une bière, j'achète pas une bière moins un jour!

— C'est pas un jour que je prends dans ta bière, Méo, c'est la part des anges.

Il existe une légende spiritueuse et poétique très répandue chez les buveurs et qui concerne cette gorgée manquante qu'on peut remarquer dans les bouteilles de certains alcools forts. Il suffit de jeter un œil à une tablette de fioles de cognac, par exemple, pour se rendre facilement compte qu'aucune n'est jamais pleine jusqu'au bouchon. Certains diront qu'il manque un doigt, d'autres qu'il s'agit d'un cens, mais tous s'entendront pour dire que ça ressemble étrangement à une gorgée.

Les recherches nous prouvent que cette part manquante n'existe pas lors de l'embouteillage. D'ailleurs, pour se maintenir les réputations, tous les grands fabricants de ces chers liquides à mal de cheveux ont dû un jour montrer patte blanche et accepter de recevoir les observateurs qui devaient s'assurer qu'on ne lésinait pas sur les quantités. Partout, il a été confirmé que les alambics ne lambinaient pas et que les goulots ne sont enlevés de la pissette qu'une fois la bouteille pleine à ras-bord. À la fin de la chaîne distillante, le liège inséré profondément, le contenant est déposé en lieu sûr pour une durée qui varie selon la recette concernée. À ce moment, il ne se trouve que du liquide dans l'hermétique. Aucune part manquante. La bouteille, en sieste à l'ombre, attend alors son tour jusqu'au mûrissement final. C'est à ce moment que se produirait le fameux mystère : quand vient l'heure de reprendre la bouteille, une portion en a disparu.

Devant l'incompréhension qui demeure, là où même les scientifiques ont échoué, c'est la poésie qui est venue donner un sens au secret. Cette dose qui s'éclipse, on l'appelle « la part des anges ».

Ça contient, c'est fermé, et tout à coup, malgré l'étanchéité, on perd une fine portion du contenu. Ça arrive dans les bouteilles, oui, mais on en retrouve aussi des déclinaisons dans des sphères du quotidien. Dans le compte de banque, ces prélèvements répondent au nom de frais d'utilisateur. De la même façon, les gouvernements éludent ce mystère en le taxant d'impôt sur le revenu. La part des anges. Il arriva même un jour où le principe s'attaqua à la réalité elle-même et vint ponctionner le village de Saint-Élie-de-Caxton.

L'UNIVERS EST DANS LES TOMES

C'était dans le temps des piasses en papier. C'était à une époque où les cennes noires existaient encore. À ce temps, le village vivait en retrait au bout d'une route. Aucune communication avec l'extérieur, aucun fil ou sans-fil : le microcosme existait dans une bulle isolée, sur une terre à tout inventer. Son système était hermétique et son monde y évoluait comme dans un cruchon.

Le seul rapport qui était maintenu avec l'ailleurs résidait en la personne du commis-voyageur. Ti-Will à Willy, qu'il s'appelait. De l'espèce de ces vendeurs itinérants dont la profession est aujourd'hui presque exterminée, c'est à eux qu'incombait le rôle d'importer. D'où l'importance.

Ti-Will venait à récurrences régulières sur des laps de six mois. Il avait le cycle mesuré. Il était de conception cycliste. On le voyait débarquer sur son vélo avec un chapeau de cowboy sur la tête. Cet élément de costume emprunté aux écuries, ça lui venait de son ancienne vie, de cette jeunesse où il avait couru les rodéos et chiqué de la selle. Suite à un accident malheureux qui lui avait fait un nœud dans la colonne vertébrale, le fanatique de la chevalerie n'avait jamais pu remonter sur une bête. Il était donc devenu commis-voyageur en bicycle à pédales. Et si le crin n'était plus de son monde, Ti-Will continuait de se comporter avec son deux roues comme s'il s'agissait d'un quatre pattes.
— Wô !

Les gens se rassemblaient autour de l'ambulant pour se garnir en denrées rares. Ti-Will vendait des brosses, des polices d'assurances, des épices exotiques de ces pays lointains dont on ne savait même pas si le nom se prononçait, et encore. Il offrait en disponibilité l'*Encyclopédie de l'Univers Connu*. Tout ce qui se

savait sur l'échelle de l'infini s'y trouvait à portée de compre-
nure sur des milliers de pages avec illustrations. Un livre ? Pas
qu'un. C'était une suite de tomes classés en ordre alphabétique.
Une collection. Trente-deux volumes pour les trente-deux lettres
de l'alphabet si on admet la souveraineté de la cédille et des
conflexes. Évidemment que les gens du village n'avaient pas les
moyens de s'offrir l'intégrale de la collection encyclopédique.
Pour les intéressés, il fallait donc choisir une tranche dans l'éven-
tail. Une lettre entre toutes, selon ses goûts et intérêts.

— Si tu aimes les choses qui commencent par «p», je te
conseille le tome «p», disait Ti-Will en honnête vendeur.

AINSI SOIT WILL

Ti-Will contentait ses pareils avec des articles hors du commun mais, surtout, il fascinait par ses connaissances. Dans le ton de son personnage jovial et coloré, il rapportait le monde à travers des histoires abracadabrantes. Après les ventes, les clients restaient longtemps pour l'entendre raconter l'ailleurs, les lointains et la différence. Ti-Will rapportait le planétaire, il témoignait du partout. Il expliquait la crise, les épidémies et la guerre. À la fin, il faisait quelques tours de magie pour les enfants, faisait disparaître deux cennes noires dans les barbes des papas pour les faire réapparaître dans les oreilles des plus jeunes.

— Vous êtes magicien?

— C'est juste de la désillusion!

Lors de sa visite du solstice d'été, Ti-Will parla d'une invention qui allait révolutionner les soirées. Suivant la description qu'il en faisait, cet appareil se présentait sous la forme d'une boîte dans laquelle on avait réussi à encastrer une fenêtre. À travers la vitre, l'observateur avait accès à une lumière qui se trouvait enfermée dans la boîte. Et on pouvait, si Ti-Will disait la vérité, y voir tout. Et partout. C'était une lampe merveilleuse. Une fenêtre sur le monde avec des antennes coiffées en laine d'acier. La télévision. La tévé pour les intimes.

— Vous allez voir les sports, les nouvelles, la messe, expliqua le vendeur.

— Notre messe?

— Non, la messe d'ailleurs!

. Devant la foule fascinée, le vendeur expliqua le processus d'achat qui s'appliquait pour l'acquisition des tévés.

— Je prends les commandes tu-suite puis je vous livre la marchandise dans six mois. Je vais prendre les noms et l'argent. Qui c'est qui en veut une?

Toutes les mains se levèrent.

— Ça coûte trente piasses par tévé.

Trente piasses? Une fortune! Quand on sait que les salaires du moment valsaient sur deux ou trois piasses par semaine, demander de dégainer dix semaines de salaire pour un imposte sur l'ailleurs, ça passerait carrément pour de l'argent lancé par les fenêtres. Ou pour de l'inconscience collective.

— Trente piasses?

Toutes les mains étaient retombées. Toutes, sauf une.

LA TÉVÉ COMMUNAUTAIRE

Bien que personne ne pût chiffrer avec exactitude l'ampleur de la fortune du forgeron Riopel, tout le monde savait qu'il planait au-dessus de la salarité ambiante. Sa capacité de travail, son talent, ses calculs, tout ça avait contribué à le classer parmi les mieux nantis de la société, à le percher dans la classe des moyens supérieurs. L'homme de fer était de ceux-là qui ont le pouce vert pour le billet. C'était un alchimiste à échelle modeste qui avait appris à changer le métal en papier.

— Qui veut une tévé ?

Riopel avait la main levée. Ti-Will secoua son crayon pour faire signe au client de s'approcher. Le forgeron rejoignit le vendeur, pêcha un billet mauve dans le fond de sa poche et le déposa sur le raque du bicycle.

— Dix piasses ?

— C'est ma cote, annonça le forgeron. Qui d'autre veut fournir avec moi ?

Méo saisit l'orgueil au vol. Il bomba le torse, prospecta le fond de ses poches et sortit un billet mauve.

— V'là ma part !

La levée de fonds atteignait vingt piasses. L'objectif était à proche portée d'un dix. Les espoirs se tournèrent spontanément vers Toussaint Brodeur.

— Je vends de la bière, j'ai pas les moyens d'acheter des tévés !

— On va l'installer chez vous, Toussaint. On va aller écouter la lutte, le hockey. On va aller chez vous pour la messe… Tu vas en vendre comme jamais, de la bière !

Le marchand général capta l'argument du bénéfice et déposa son billet mauve par-dessus les deux autres. Le montant y était. On inventait la tévé communautaire.

Ti-Will à Willy s'empressa de récupérer la pile de fric avant que le vent l'emporte. Les trente piasses disparurent dans le portefeuille en cuir qu'il engouffra dans une poche sur sa fesse. Le voyageur grimpa sur sa selle pour donner de la pédale en direction du cinquième rang. Il filait. L'attroupement demeura jusqu'à voir disparaître complètement le commis-voyageur sur la ligne d'horizon. Comme un petit point final dans un écran cathodique. Clic. Quelques instants de flottement pour s'assurer qu'il ne revenait pas, et chacun retourna chez lui avec le sentiment étrange de s'être fait fourrer de trente piasses.

Un voleur? Mais non! Ti-Will était un homme de parole. Au beau milieu du mois de décembre, on le vit venir, essoufflé, son bicycle slalomant dans la neige, avec une boîte énorme fixée sur le panier du vélo. Il stationna devant la galerie chez Toussaint. En bon livreur, il détacha un par un les élastiques qui retenaient le colis au panier et demanda de l'aide pour porter le fardeau dans la maison.

Une fois dedans, on ouvrit précautionneusement les battants de l'emballage pour en sortir l'ovni. Ça ressemblait à un voyage dans le futur. On se serait cru dans une veillée organisée par Jules Verne. La tévé sortie, Ti-Will en profita pour se vanter un peu.

— C'est pas de ma faute… Will, en anglais, ça veut dire le futur!

Il ajouta qu'il avait pu se porter acquéreur de l'objet pour un montant moins élevé que prévu.

— Je l'ai eue pour vingt-cinq piasses!

Le rabais venait du fait que la tévé achetée était celle qui était en montre au magasin. Une démonstrative? Rien pour déplaire.

— De toute façon, c'est pour la regarder qu'on en voulait une!

C'était une tévé magnifique. Loin de ce qu'on s'imaginait. Bien plus qu'une vulgaire boîte percée, c'était un meuble travaillé, massif, avec des moulures tout le tour, une base solide, trois gros pitons conviviaux et cette fenêtre encore close qui couvrait presque entièrement un des pans. Même éteinte, elle dépassait les attentes.

La grande queue de cette bête étrange trouva son chemin jusqu'à la prise électrique. La foule s'était installée pour bien voir l'écran: les enfants s'étaient couchés ou accroupis juste devant, toutes les chaises et les fauteuils comptaient quatre ou six fesses chacun et les plus grands demeuraient plantés debout derrière. On attendait la révélation.

Ti-Will, en poste à côté de la tévé, faisait face aux spectateurs et souriait de ses belles dents de vendeur. Il enleva son chapeau de cowboy pour marquer le solennel du moment et tourna enfin le petit piton marqué on/off.

Pendant une dizaine de minutes, dans l'écran, il n'y avait eu que de la neige. Dans les gradins, sept bébés avaient repris à téter les seins de Madame Gélinas, Méo regardait dehors pour comparer la météo locale avec celle qu'on voyait dans la tévé, Ti-Will avait remis son chapeau. Et si certaines personnes semblaient relâcher rapidement l'attention, il faut bien dire que la grande majorité restait figée, comme espérant une éclaircie entre deux bourrasques.

— Puis les antennes, Ti-Will? s'informa Toussaint.

— Elles étaient déjà cassées quand ils me l'ont vendue. C'est moins dangereux comme ça, je vais vous dire. Un gars que je connais s'est acheté une tévé puis un de ses enfants s'est crevé un œil avec les tiges…

— Mais ça aurait servi à quoi, les antennes? demanda le forgeron.

— C'est pour pogner des postes. Vous en avez pas besoin…

— C'est la tempête du siècle!

Ça faisait maintenant une bonne heure que le grichage battait son plein. Ti-Will annonça qu'il allait devoir repartir. En homme de principes, il sortit de ses poches l'argent qu'il avait économisé lors de la transaction.

— Vous m'aviez donné trente piasses, ça m'en a coûté vingt-cinq, fa que je vous en rapporte cinq.

Il montra, dans sa paume, cinq billets d'une piasse.

— Le problème c'est que vous êtes trois investisseurs et que j'ai cinq piasses.

Le cinq est un chiffre entier. C'est connu. Imbu, il ne se divise que par lui-même. À moins d'oser s'aventurer dans le domaine de la virgule. Et encore, on ne s'en sortirait qu'arrondis.

— Ce que je vous propose, c'est de garder deux piasses à moi pour couvrir les frais de livraison, puis que je vous remette trois piasses. Une pour chacun.

Les trois gars, éblouis par le tourbillon lumineux du cataclysme et portant une totale confiance à Ti-Will, prirent chacun leur piasse et n'y pensèrent plus. Le livreur, de son côté, attacha son manteau jusqu'au menton et sortit pour enfourcher son cheval à chaîne et dérailler pour les six prochains mois.

La tévé était allumée en permanence et crachait de l'hiver sans faiblir. Pendant le mois et demi qui suivit l'arrivage technologique, les trois acheteurs ne décrochèrent de la bourrasque que pour manger et dormir un peu.

Au bout d'un temps, Toussaint proposa à ses collègues une intervention radicale.

— Pourquoi on changerait pas de poste ?

La flèche sur le bouton du haut visait le chiffre deux depuis la livraison.

— Peut-être qu'au trois, il fait un peu plus beau.

Tous furent d'accord. Toussaint se leva de son fauteuil, se frotta les pantoufles sur le plancher en direction du cataclysme. Ce faisant, il se chargea d'électricité statique jusqu'à se sentir lever les poils de la nuque. À portée de bras, il porta sa main à la roulette rustre.

Un tic sonore. Et un éclair microscopique entre le doigt de Toussaint et le piton métallique. Et un flash blanc dans sa tête. Toussaint venait de goûter à une illumination.

— Il manque une piasse!

Aucune réaction de l'auditoire.

— Les gars, il manque une piasse.

— Que c'est que tu dis, Toussaint?

Le marchand général avait eu l'information infuse et spontanée.

— Vous vous rendez pas compte de rien?

— ...

— Quand on a commandé la tévé, on a donné trente piasses à Ti-Will. Il est parti avec l'argent pour revenir six mois plus tard avec la boîte. La bonne nouvelle, c'est qu'il avait payé moins cher que prévu. Vingt-cinq piasses. Il nous devait donc cinq piasses.

— C'est-tu fini ton histoire?

— Écoutez-moi! Les cinq piasses pouvaient pas se séparer en trois montants équipollents, fa que Ti-Will a gardé deux piasses qu'il a fourrées dans ses poches.

— Je le sais. Je l'ai vu faire, appuya Méo.

— Deux piasses à Ti-Will, et on a repris chacun notre piasse, ajouta le forgeron. Ça fait cinq piasses.

— Exactement, reprit Toussaint. Au départ, on avait fourni dix piasses chacun. Il nous en est revenu une. On a donc dépensé tous les trois neuf piasses. Si on multiplie neuf piasses par trois, ça nous porte à vingt-sept piasses. Si on ajoute à ce chiffre les deux piasses que Ti-Will a conservées pour la livraison, ça porte le total à vingt-neuf.

— ...

— Puis ça s'arrête là, puis il manque une piasse pour taper le trente du départ.

Méo et Riopel se regardèrent un moment pour s'assurer de leur confusion partagée. La première réaction vint du forgeron.

— Inquiète-toi pas, Toussaint. On va fouiller. C'est sûr qu'elle est en quelque part dans la maison, ta piasse qui manque.

Méo fut plus empathique.

— Peux-tu me le réexpliquer pour être sûr que j'ai rien compris ?

Toussaint déroula son équation une seconde fois en résumant bien. Il exposa avec le plus de clarté possible les détails à partir du moment où ils avaient donné trente piasses.

Ti-Will était revenu avec la tévé et cinq piasses à partager. Le cinq ne se divisant pas en trois, le vendeur avait gardé deux et rendu une piasse à chacun du trio. Ils avaient payé dix, il leur en revenait une. Au final, ils avaient dépensé neuf. Trois fois. Donc vingt-sept. Montant auquel on devait ajouter le deux que Ti-Will avait perçu pour la livraison. Donc vingt-neuf. Manquait une piasse.

Les gars prirent la chose au sérieux et se creusèrent la méningerie un moment. Ce fut Méo qui trouva la clé du problème.

— Ça doit être la part des anges, Toussaint !

— Une fenêtre sur le monde…

Dans la canicule du mois de juillet, ils regardaient encore la neige. Quand on se concentrait bien, ça donnait l'impression de climatiser un peu la pièce.

— Le monde est à pelleter !

— Ce que ça a de bon, les gars, c'est que plus personne va plus jamais se plaindre du temps qu'il fait par icitte.

LE CHIEN DU CURÉ

Si on ferme la porte à toutes les menteries,
la vérité risque fort de coucher dehors.
d'après Rabindranath Tagore

Tout est narratif, qu'elle disait, ma grand-mère. C'était sa théorie de la relatabilité. Une loi de la mécanique antique. Une manière de justifier le jasage par la question du point de vue. À prêcher l'usage des mots pour dépasser le format habituel des offres du réel. Pour mieux franchir les disances. Parce que la vie la faisait narrer, ma grand-mère. Et comme elle adhérait au vaste communiquant, je me retrouvais souvent à hériter du rôle du cruchon. Elle me remplissait d'histoires à merveilles et de contes à tiroirs. Elle me tenait plein, toujours à la limite du débordement. Et si je savais trouver plaisir à ce remplissage, il n'en demeure pas moins qu'un jour vint où je fus lucide. Je venais d'avoir onze ans. Avec ça, et la raison de l'âge, j'annonçai à ma grand-mère qu'elle pouvait me considérer comblé.

— Mémère, tu peux continuer à parler si tu veux, mais moi je vais arrêter d'écouter.

— Pourquoi?

— Parce que je suis tanné des contes puis des menteries. Je vais te réécouter le jour où tu me diras la vérité.

Elle était saisie.

— Juste à me dire la vérité, mémère!

Elle prit un temps pour se recontenancer et me poussa l'argument.

— La vérité, c'est pas simple à inventer, tu sauras…

Ma grand-mère m'avait expliqué que même dans les plus grandes vérités, on finissait toujours par déceler du slaque. Que les vérités, ce n'est pas de ces choses qu'on découpe au couteau.

— La vérité, c'est comme l'heure. Ça change dépendamment d'où tu te trouves, de l'instant où tu la demandes. La même personne, le même lieu… T'as juste à changer de moment puis l'heure ne sera déjà plus la bonne.

J'en compris que les vérités évoluaient.

— C'est comme l'évolutionnage. La vérité change. Elle s'use aussi. Même qu'il faut voir à s'en inventer régulièrement pour que des vérités neuves remplacent les vieilles qui tiennent plus la route. La vérité, ça s'effiloche, ça se démanche, ça retourne à la poussière. Si on s'en occupe pas, on finira par plus en avoir aucune de vraie.

Créer du vrai. Elle me disait que Méo avait trouvé une façon d'en inventer, lui, de la vérité.

LE PROCÉDÉ VÉRITATOIRE

— On a l'air de dire la vérité, mais c'est juste parce qu'on s'entend tous sur la même menterie!

C'était devenu un procédé accepté communément dans le village. Une promesse appliquée de Méo qui, dans sa grande générosité ratoureuse et avec le plaisir de nourrir la jasette, avait eu l'ambition de produire de la vérité à foison. De la vérité pour tout le monde. À volonté. Jusqu'à plus soif.

— Un mensonge répété cent fois, ça devient une vérité.

Tout le monde s'était accordé sur le principe. Et le système faisait ses preuves.

— Un mensonge répété cent fois...

Ce qui était bien avec la mise en place de cette mécanique de véritation à la centaine, c'est qu'à l'époque, le village comptait cent une personnes majeures. Cent un adultes conséquents. Ainsi, si on enlevait Méo du compte, on arrivait à cent. Pile. Il suffisait donc au coiffeur de lancer une nouveauté qui allait prendre le sillon fertile du téléphone arable, repasser cent fois le métier et faire éclore une nouvelle fleur sur la tablette de l'inébranlable. Chaque invention lancée dans le conduit des on-dit faisait le tour pour accumuler sa centaine nécessaire. Méo n'avait qu'à se poster au bout de la boucle pour attendre un peu et, à la fin, cueillir la goutte plausible et alambiquée. Plouc! Une vérité de plus.

Évidemment que la chose se roda vite. Rapidement, on avéra les incertitudes de la terre ronde et du soleil au centre. On se dépêcha de régler le cas des extraterrestres et de la réincarnation.

— Après la mort, les cheveux continuent de pousser. S'il faut que tu choisisses pour te réincarner, prend les cheveux!

Méo, tenté d'éprouver son moulin à vérités, poussa un jour sa chance sur une bordée de neige en juillet. Les engrenages portèrent leur résultat. Répétée cent fois la prévision d'une bordée estivale et les gens sortirent leur pelle. Ils pelletèrent plus par convention que par accumulation, mais quand même. Ça donnait idée de la puissance de la méthode.

Tout principe venant avec ses limites, le processus montra un jour des signes d'épuisement. Cette fois-là, Méo ne sachant plus quoi inventer pour nourrir ses meules décida d'aller fouiller dans les classiques. Pour tout filon, il trouva à insérer dans le tordeur d'épineuses la question de la couleur du cheval blanc de Napoléon.

— De quelle couleur est le cheval blanc de Napoléon ?

Le pressoir allait-il résoudre l'énigme hippique de l'empereur ? Loin de là. Même que la patente se déglingua.

Comme Los Angeles, San Francisco, Tokyo et plusieurs autres mégalopoles d'influence mondiale, Saint-Élie-de-Caxton est construit sur une craque terrestre. Cette brisure, bien que perdue profondément sous la surface du globe, laisse une trace visible en plein milieu du village, juste devant l'église, parce qu'elle crée une inclinaison qui vient séparer en deux demies le grand tout. C'est là le point névralgique. Comme une raie de paysage.

Le jointement dans cette déchirure de l'écorce se révèle sous la forme d'une côte d'une quarantaine de pieds de dénivellation. Une pente modeste, s'il en est, une montée qui arrive tout juste à essouffler le vélo, qui n'a rien de vertigineuse, rien de dérangeant à l'œil de passage automobilisé. Pourtant, sur le long terme et pour les natifs, la brisure a fini par instaurer un clivage dans les têtes locales. Certains y trouvent même matière à faire de l'altitude.

— Il y a le haut-de-la-côte et le bas-de-la-côte !

Rien pour s'alarmer, aucune menace d'aléa sismique d'envergure — encore que ! —, mais quand même une faille dans la croûte. Il se trouve là, sans conteste, une cassure, une cicatrice ou un point de rencontre, selon le point de vue. Du frottage de surface, juste assez pour alimenter les bouches, agrémenter les placotages, partager les opinions et faire un bœuf d'un œuf.

Quand vint le moment de trancher sur le cheval de Napoléon, la lésion géographique se rouvrit vive.

— De quelle couleur est le cheval blanc de Napoléon ?

Loin de s'imaginer qu'il mettait le doigt sur un sujet explosif à ce point, Méo fut stupéfait d'assister à une si drastique déchirure d'opinions. Pour une simple robe de jument et un tabou insoupçonné, le village se polarisa en prenant pour point de séparation cet endroit fragile de la géographie. On se divisa sur la couture.

— Le cheval blanc de Napoléon, il est blanc !

Le pragmatisme du haut-de-la-côte s'était prononcé, ce qui n'alla pas sans imposer une prise de position du bas-de-la-côte.

Le bas-de-la-côte, pour vous situer sur le niveau de la mer, est juste à hauteur de la rivière. On ne sera pas surpris d'apprendre qu'au printemps, à la fonte des neiges, les maisons de ce secteur soient régulièrement inondées. S'ensuit-il un développement de quelques champignonneries dans les murs, ou alors un problème de craquage dans les solages ? Chose certaine, ça développe une manie de méfiance devant les éléments. Pour cette raison, devant l'énigme, les habitants du bas-de-la-côte évitèrent l'évidence de la première logique. La couleur du cheval blanc ? Sans doute y avait-il là un piège de sens ou une illusion d'optique. Pour écarter le simplisme, ils choisirent de jouer les contraires.

— Le cheval blanc de Napoléon, il est noir !

La vérité. On la cherche. À la longue, on en a fait le grand but. On va parfois jusqu'à l'affubler de majuscules pour l'amplifier encore. Comme s'il n'y avait que des dimanches pour s'habiller les convictions, alors qu'on sait tous qu'il existe aussi une vérité des jours, une vérité de semaine, à hauteur de quotidien ; une vérité négociable, de celles qui servent à s'astiner plus qu'à se rallier. Chez nous, de toute façon, la vérité est rarement une destination. Même que si on se sent l'approcher, on s'en éloigne vite. La vérité, loin de l'arrivage, sert plus souvent de point de départ sur laquelle bâtir tous les possibles.

LES CENT UN DALTONIENS

Le village était scindé en deux. Les cinquante têtes du haut-de-la-côte revendiquaient la monture blanche alors que la cinquantaine du niveau inférieur criait au noir. Par précaution, on avait écarté la palette chromatique et préféré une chicane simple et sur deux tons seulement. Quand même, la chance de se voir coupé en deux parts égales. De quoi frôler l'euphorie référendaire. Noir et blanc. Moitié-moitié. Qui viendrait faire pencher la balance ? Ne restait qu'une personne qui n'avait pas encore pris position.

LES VARIÉTÉS DE VÉRITÉS

Tout le monde le sait : quelqu'un qui tient commerce dans un petit village doit s'avancer le moins possible dans les zones des questions délicates. Il en va de la survie de son entreprise. Il faut plaider le neutre par préméditation.

Pour Méo, ingénieux de la lame, la stratégie s'inversait. Plutôt que de ne pas trancher, le barbier déployait la ruse du double-tranchant. Il tranchait dans tous les sens. Quelqu'un du haut-de-la-côte s'assoyait sur la chaise pompeuse pour annoncer sa nouvelle :
— Le cheval de Napoléon est blanc !
Méo abondait.
— Et voilà ! Tu l'as trouvé !
Dans l'heure qui suivait, un client du bas-de-la-côte se pointait la rosette avec son point de vue.
— Le cheval de Napoléon est noir !
Méo hochait de la tête.
— Et voilà ! Tu l'as trouvé !

Le vieux curé, témoin du double discours, ne comprenait pas le fonctionnement du manège. Confus, il aborda le coiffeur pour obtenir de l'explication.
— Comment faites-vous, Méo ? À celui qui dit « blanc » vous répondez qu'il a trouvé, à celui qui dit « noir » vous répondez qu'il a trouvé.
Et Méo n'hésita même pas.
— Et voilà ! Vous l'avez trouvé !

LA RAIE BAVARDE

— Comment faites-vous pour lire dans la tête des gens ?

— Je lis pas DANS la tête du monde, monsieur le curé, je lis SUR la tête du monde. Je fais juste me fier sur la ligne de la raie.

Méo en profita pour étaler son érudition en montrant la richesse du registre de la séparation des cheveux.

— Il y en a des petites, il y en a des grandes ; des nettes, des camouflées. Il y en a des droites, il y en a des croches puis des à-droite, puis des à-gauche. J'en connais certaines qui changent de côté quasiment chaque semaine. Vous, monsieur le curé, vous en êtes un de ceux qui travaillez très fort de la raie, d'ailleurs.

Le vieux curé était mystifié. On l'initiait au langage non verbal. Méo proposa de lui démontrer par l'exemple la fiabilité de son procédé en se testant sur une lecture du prochain client à entrer au salon. Au dire du coiffeur, le curé devrait pouvoir dire de quel bord il ventait juste en jetant un œil à la démarcation.

— À moins qu'il soit venu de reculons pour nous fourrer, on pourra savoir par où vient le vent.

Méo appartenait à la famille de ceux qui penchaient du bord qu'il vente. Et à tous les jaloux qui le traitaient de girouette, il répondait pour se défendre que cet oiseau de tôle était encore le seul poulet à avoir le courage de toujours faire face au vent.

— Mais la vérité, grand-maman?

ELLE COUINE, ELLE GEINT
(AWIGNAHAN)

Ce jour-là, la raie qui prenait place sous les lames de Méo, c'en était une parmi les plus connues, celle de la veuve de Saint-Barnabé-Nord. Cette femme, habitante d'un village voisin par la fesse gauche, était veuve depuis toujours et l'essentiel de ses occupations résidait dans le fait de l'être. Elle était née éplorée. Une veuve par césarienne, disait-on. Aussi, il existait entre elle et le coiffeur de Saint-Élie-de-Caxton un lien privilégié. Cette affection mutuelle entre elle et lui remontait au temps où Méo était encore imberbe.

Au début de sa carrière, sans le poil, Méo apprenait les rudiments de son art et était encore loin de cette envergure de la réputation qu'on lui connaît aujourd'hui. À ce temps, comme il ne faisait que barbifier, Méo recevait une clientèle composée d'hommes, sauf rare exception d'une femme à barbe quand le Cirque de Mônia passait dans le coin. Bien vite, se rendant compte que l'argent ne poussait pas que dans les barbes, l'homme à lames osa se tourner l'outil vers la gent féminine. Et c'est là qu'elle s'était introduite. Sa première cliente. La veuve de Saint-Barnabé-Nord. Encore dans la tendre jeunesse, elle s'offrait en cobaye sur le fauteuil de Méo. Courageuse comme un projet pilote. Ou un projet pileux. Il s'en souviendrait toujours.

La veuve avait été une rousse. Une rousse mémorable à la livrée pétante comme un lever de soleil. Les cheveux rouges et riches. Elle avait la couette rebelle et de cette texture de l'épi qui ne se mouille jamais. Crépue. Voilà. De cette variété du frisotté presque imperceptible, mais qui empêche même l'eau de faire son œuvre. Elle avait beau défier la douche, plonger du quai ou braver l'orage, elle ressortait chaque fois avec la mèche sèche.

Avec les années, et au moment où cette histoire allait enfin commencer, elle était devenue blanche. Complètement. Immaculée, mais toujours aussi crépue. Méo lui avait bien offert de la teindre pour lui reculer le millage jusqu'à la garantie du concessionnaire, mais elle avait préféré garder son naturel.

— Tu sauras, Méo, que c'est pas parce qu'il y a de la neige sur le toit qu'il y a plus de feu dans la cheminée !

Là-dessus, la veuve ne mentait pas. On voyait bien qu'elle n'était pas femme à créosoter du tuyau. Plutôt de l'école à chauffer le poêle la clé grande ouverte. Pas besoin de rendez-vous : elle se ramonait par elle-même. Une veuve attisée ? Elle était en tout cas la seule cliente féminine du salon à gémir pendant une séance de peigne. Ça ne lui était jamais arrivé avec personne d'autre, à Méo. Il avait d'ailleurs été un peu troublé par tant de chaleur. En plus que ça avait été un peu sa première femme, à Méo. Son Ève. Sur le plan professionnel, on s'entend.

La tête de feu était donc devenue flambant neige, mais avait conservé le crépu qui pique.

Ce jour-là, la veuve blanche présenta son poil gaufré à Méo.

— Quel bon vent vous amène?

La veuve expliqua qu'elle était venue rendre visite au curé du village. Parce qu'il était vieux. Parce que, dans son âgisme avancé, il souffrait beaucoup de la solitude. Plus rien à portée de son diverticule. En semi-samaritaine, elle s'était chargée de venir lui changer les idées.

— Je lui ai apporté un petit chien!

Elle raconta à Méo que sa chienne venait tout juste de débouler d'une portée de cinq tout-petits. Et qu'elle lui en devait justement un.

— Ce sont des chiens de ma chienne!

Pour Méo qui aimait le poil, les chiens étaient un sujet fort intéressant.

— C'est pas un chien bâtard pour le commun des mordus. C'est un chien de race. Un Bernard.

Le voisinage ne mit pas longtemps pour apprendre qu'on avait équipé le vieux curé d'un chien. Quelques jours seulement, et le nouveau-né atteignait déjà des proportions de colosse. Nourri à la viande hachée, il avait déployé une constitution de monstre et, surtout, un décibelisme dérangeant. Un chien, on pouvait tolérer, et cela peu importe le taux de pur sang, mais un chien qui bruite à outrance, ça devenait un peu plus lourd à supporter que le poids réel.

Attaché au bout d'une chaîne que le curé avait amarrée au pommier devant le presbytère, le Bernard tournait en rond dans l'extrémité du cordon le retenant au tronc. Étranglé au bout de son rayon, les yeux débordant de leur coquille à vue, la bave projetée en centrifuge tout autour du parcours, le canin dépensait ses heures à japper. De l'aboyage intensif, sans le moindre répit. Le chien hurlait ses jours et ses nuits, cassant toute possibilité de dormir pour les gens des alentours. C'était un insomnifère féroce.

S'enchaînèrent les deux ou trois premières nuits où on l'entendit japper. Personne n'osa rien dire : c'était le chien du curé. Ça dura une semaine et ça devint vite un mois debout. Et une saison. Ça s'accumulait sans sieste. Les cernes finirent par avoir raison des yeux. Ça tombait jusqu'au bas des joues.

— Il va falloir y voir !

En secret, on fomenta une intervention persuasive. Les personnages les plus influents du village se rassemblèrent pour aller aviser le curé des dommages animaliers et lui demander de se débarrasser de la pollution sonore.

À l'heure prévue de la rencontre au sommet, le curé en était justement à nourrir son compagnon. La troupe diplomatique rejoignit l'homme de chenil qui les reçut amicalement, loin de se douter de leur dessein véritable. Il en fut bientôt un courageux pour annoncer le but de la visite.

— Il faut qu'on se défasse de Bernard, monsieur le curé.

— Pardon ?

Le curé souffrait de surdité. Il fallait répéter souvent, même pour les péchés.

— Expatrier Bernard ?

La chose était impensable. Le curé leur expliqua que son chien en était un d'exception. Qu'il s'était attaché à lui. Il prit soin de montrer les yeux de Bernard pour faire voir aux dénonciateurs que ce chien en était un brillant. Un intelligent.

— Bernard est un chien qui pense !

Le curé vanta sa cervelle d'oignon et sa mauvaise haleine. Il décrivit ses facultés exceptionnelles pour exagérer jusqu'au stade de l'animal savant.

— Ça ne me surprendrait pas que Bernard, d'ici deux ou trois mois, se mette à parler.

Parler ? Pour le convoi de négociateurs, ça enlevait toute chance d'argumenter par la logique. Un chien qui parle ? Le vieux curé était définitivement irréchappable.

Quand le temps fut velu, le curé neuf se pointa chez Méo sans rendez-vous. Il était en compagnie de Bernard qui entra aussi chez le coiffeur sous le couvert de toute politesse, en déroulant son fil de bave dans les amas de cheveux tombés des clients précédents. Pendant que le cabot faisait son nid malpropre dans un tas de poils ramassés çà et là et commençait à chiquer patiemment une tresse trouvée parmi les cadavres, le curé atteignit la chaise du barbier.

— C'est pour ma tonsure, lança l'homme d'Église.

À l'occasion, le vieux curé venait se faire découronner la rondelle pour retrouver son trou de peau. C'était que son capteur solaire avait besoin d'un petit coup de nettoyage.

À ce moment où le curé avait choisi de se pointer l'œuf, Méo venait tout juste de finir de raccourcir les cheveux des quatre cent soixante-treize petits Gélinas. La rentrée scolaire prévue dans quelques jours lui donnait du fil à retordre. Juste à imaginer le nombre pour évaluer le labeur et l'endurance commandés par une minutie à répétition : quatre cent soixante-treize coupes. Méo déposait d'abord sur une tête un bol à soupe renversé. Il contournait ensuite le rebord du contenant avec son exacto pour faire tomber le surplus qui dépassait tout autour. Couic. La circonférence ajustée, Méo déplaçait le récipient d'une tête à une autre et répétait le manège d'un tour de lame. Couic. Et ainsi de suite, plusieurs centaines de fois, sans jamais perdre la concentration et l'exactitude. Couic.

— Faites attention de pas mettre le plat devant vos yeux !

Couic.

— C'est pour ma tonsure…

Le curé avait pris place dans la chaise de Méo qui déjà pompait de la patte pour amener le client à sa hauteur. Le vieux curé était d'humeur blagueuse.

— Les auréoles, est-ce une chose qui s'installe chez le coiffeur?

— Ben non. La lumière, ça appartient à personne, monsieur le curé. Vous le savez bien.

Méo, épuisé par le nombre de Gélinas qui venaient de passer au pochoir, coupa court aux élucubrations de son client imprévu. Sur l'erre d'aller de la sérigraphie, il déposa sa tasse à café sur la tête du curé et en fit le tour avec son couteau de précision. La frange tomba autour de la circonférence de la tasse. Méo releva doucement son moule de porcelaine et découvrit son erreur.

Méo avait fait le tour mais conservé le centre. Non seulement il avait manqué le coup de l'auréole, mais il livrait carrément un négatif de la commande. Il avait réussi l'exploit d'une tonsure à l'envers. C'était comme un trou de beigne en cheveux de curé.

Méo eut le réflexe de remettre la tasse à sa place. Pour préparer le patient à la divulgation de sa gaffe, il joua de la question. Comme ça, pensait-il, en déconcentrant sa victime, l'erreur serait plus douce à digresser.

— On dirait que vous vous préparez pour une sortie, monsieur le curé ?

Le curé annonça à son coiffeur qu'il partait en retraite pour quelques jours.

— Il me semble que vous retraitez souvent ces temps-ci ?

— C'est un gros régime spirituel que je m'impose. À mon âge, il est de mise de se préparer l'âme.

L'air de rien, pendant que le vieux curé s'appliquait à répondre aux questions, Méo avait sorti la boule de la tasse. La caboche de l'apôtre ressemblait maintenant à un genou avec un pompon. Le coiffeur tenta d'atténuer l'effet en passant le peigne devant, puis en séparant au milieu… Rien à faire : c'était flagrant et irréversible.

Le curé ne fit aucun cas de sa nouvelle tête, tout occupé qu'il était à expliquer à Méo qu'il partait pour une quinzaine de jours chez les moines de l'Ermitage Saint-Antoine au Lac-Bouchette.

— Le Lac-Bouchette ?

— Loin après La Tuque… Juste avant d'arriver à Chambord.

— Ah ! Puis vous amenez Bernard avec vous ?

— Non, Méo. C'est trop de voyagement pour lui. Je vais le faire garder.

— Le faire garder ? Par qui ?

Méo n'avait jamais appris à dire non. Dans sa crainte de déplaire, mais surtout après avoir complètement démoli la chevelure du pontife, il préféra consentir. Le curé repartit donc avec le chignon manqué et l'esprit tranquille pendant que Méo essayait de se faire à l'idée qu'il devrait prendre soin de l'haïssable jappeux pour les deux prochaines semaines.

Deux ou trois jours passèrent et c'est Toussaint Brodeur qui s'arrêta chez le barbier. Il fut surpris de tomber devant le chien du vieux curé.

— Il me semblait, aussi, Méo, que le son venait plus de la même place...

— Tu l'entends-tu moins?

— Pas moins, juste différemment...

Toussaint ne put se retenir la bonne idée.

— On a le chien puis on a pas le curé. C'est le moment parfait pour s'en débarrasser.

— Je peux pas faire ça, Toussaint. C'est pas pour le chien, mais c'est pour la confiance que le curé me porte. Je peux pas le laisser partir.

À la vue d'un Méo sur les principes nobles, Toussaint évita de prendre la négociation de front et choisit de manigancer par le détour.

— Je comprends, Méo... Écoute, je pars en ville pour aller chercher une livraison de bière. J'ai su qu'à Shawinigan, il se trouve un vétérinaire capable de faire la chirurgie des cordons de vocal.

Toussaint illustra le procédé pour que Méo comprenne qu'en gros, le docteur couperait les deux fils qui font le bruit dans la gorge du toutou, qu'il lui visserait les ligatures dans une marrette et que le problème audible serait réglé pour toujours.

— Le chien va continuer de faire les gestes, mais il y a plus aucun son qui va en sortir.

— Puis le curé?

— Le curé s'en rendra pas compte, il est sourd comme un pot.

Méo n'avait jamais appris à dire non.

Toussaint Brodeur ne revint pas le lendemain, ni le surlende-
main. Après quatre jours, cinq jours, six et bientôt dix, Méo s'in-
quiétait de devoir accueillir le curé avant son chien. Il fut soulagé
quand il vit apparaître la charrette du marchand général devant
la vitrine de son salon. Méo sortit à sa rencontre, tout sourire. La
carriole ployait sous la charge. Des dizaines de caisses de bière.
Des bouteilles, des bouteilles, des bouteilles… mais pas de chien.

— Tu l'as mis où Bernard, Toussaint ?

— Regarde tout ce qu'on aura à boire, Méo !

— Toussaint, explique-moi.

— Écoute Méo, je suis allé chez le vétérinaire. Ils m'ont
expliqué que l'opération coûtait une piasse. Tu comprendras
qu'avant d'investir ce montant-là, j'ai voulu savoir combien valait
le chien. Fa que je suis allé le faire évaluer. On m'a dit qu'il valait
une piasse. Alors je l'ai vendu pour avoir l'argent pour la chirurgie. Et c'est là que je me suis rendu compte que je l'avais plus, le
chien.

— …

— Mais j'avais la piasse, et ça m'a permis d'acheter plus de
bières que prévu, Méo !

— C'est bien, Toussaint, mais je te conseille de te préparer
des arguments pour que le curé t'excommunize pas.

Toussaint claqua les cordeaux pour que son cheval reprenne
la route

— Je me suis occupé du chien, occupe-toi du curé, Méo !

Le curé entra dans le salon de barbier avec cette boule au sommet maintenant entourée d'une belle repousse de deux semaines. Comme un kiwi avec un kyste. Trop pressé pour saluer le propriétaire, il s'agenouilla pour héler son chien.

— Bernard? Il est où le beau Bernard?

Dans le meilleur des mondes, on aurait entendu les bruits des griffes cognant sur le plancher en alternances rapprochées et de plus en plus fort, jusqu'à ce que le son passe à l'image et qu'on voit apparaître le Bernard au détour d'un mur, et sa queue branlante, s'approcher pour venir licher un grand coup dans la face de son maître.

— Viens voir papa! Viens, Bernard!

Devant le spectacle du curé qui s'acharnait à interpeler un chien qui n'existait plus, Méo avait le cœur honteux et le front en sueurs. Il n'avait pas pu concocter de l'argument à atténuer la nouvelle. Il attendait de voir poindre une ouverture dans l'action pour s'adresser au curé. Mais pour lui dire quoi? Tout allait vite. Méo ne pouvait pas mentir. Et il appréhendait une crise de colère, sinon un malaise, voire un infarctus.

Le curé finit par se relever, les yeux troublés dans un pressentiment de malheur.

— On s'en est débarrassé, monsieur le curé!

LE DÉTRAQUEUR DE MENSONGE

Pas de colère. Pas de cri. La nouvelle avait atteint le curé comme un boulet de canon dans le bas du ventre. Il avait le souffle coupé, le visage en douleurs, et il se croquevillait doucement en s'approchant du coiffeur. C'était une tristesse qui demandait à trouver refuge dans les bras de quelqu'un. Méo, bien que très peu pelotonneux dans la vie courante, ne put refuser l'accolade à son confesseur ravagé. Il entoura le curé de ses bras maladroits.

Au moment d'enlacer, le regard du coiffeur fut attiré par un détail. Un petit rien sur l'épaule de l'homme de robe. Une trace de démenti accroché dans les fibres de feutre du manteau. C'était un long cheveu blanc. Et crépu.

— Dites-moi la vérité, monsieur le curé : vous étiez parti où ?

L'homme de robe se ressaisit un peu.

— Au Lac-Bouchette, Méo !

Le curé mentait comme un expert. Rien ne transparaissait dans son jeu.

— À vérité pour vérité, monsieur le curé, voulez savoir ce qui s'est passé avec votre Bernard ?

Le curé reprit la pose du pleureur.

— Mon Bernard...

— On savait qu'il était brillant, votre chien. Comme vous étiez parti, et parce qu'on voulait vous faire une surprise, on en a profité pour l'inscrire à l'école.

— Des cours d'obéissance ?

— Des cours de diction !

Le curé cachait son doute dans la chemise consolatrice de Méo.

— Deux jours seulement, monsieur le curé, puis votre Bernard pouvait réciter les trente-deux lettres de l'alphabet.

Le curé força un germe de sourire, mais pour une fois, on n'y trouvait pas la sincérité.

— Vous le croirez pas, monsieur le curé, mais au bout d'une semaine, Bernard parlait en lettres attachées.

— Bernard parlait ?

— On a voulu lui apprendre le Notre Père ou le Salue Marie, mais il voulait rien savoir des prières. Il répétait toujours la même chose.

— Il disait quoi ?

Méo cueillit doucement le cheveu crépu sur l'épaule du prêtre.

— Il disait que vous alliez dormir chez la veuve de Saint-Barnabé-Nord.

Le curé se détacha de l'étreinte.

— Inquiétez-vous pas, monsieur le curé, Toussaint est vite allé le vendre à Shawinigan.

Un temps.

Tâchant de conserver une certaine dignité, et pour que l'histoire ne parte pas en surplus de louche, le curé n'eut pour seul choix que d'approuver le geste.

— Vous avez eu raison de l'expulser, Méo. Un chien qui ment, on ne veut pas de ça dans notre village.

J'avais onze ans. Je demandais à ma grand-mère de me dire la vérité, et c'est ce qu'elle me servait comme histoire. Je ne comprenais pas pourquoi elle continuait par les détours improbables. Comme je ne pouvais pas la traiter de menteuse, et comme nos justices se construisent sur les bénéfices du doute, je la questionnais pour voir avec elle s'il ne se trouvait pas au moins un bout de vrai dans ce qui semblait une somme d'invraisemblances.

— La vérité, c'est-tu que le chien du curé parlait ?

— Non, mon petit homme.

Par élimination, je devenais gêné à l'idée de la vérité qui apparaissait dans la déduction. J'osai quand même lui demander.

— La vérité, c'est-tu que le curé allait coucher chez la veuve de Saint-Barnabé-Nord ?

— Non, mon petit homme.

— Dans ce cas-là, elle est où, la vérité, mémère ?

— Tu vas être déçu...

Elle faisait sourire en coin. On allait se réconcilier.

— La vérité, c'est que Napoléon, c'est pas un cheval qu'il avait, c'était une vache à lait Holstein à deux couleurs.

L'ODYSSÉE DE L'ESPOIR

J'attends la catastrophe, le grand chaos.
J'attends qu'en pleine nuit
les cloches des dernières églises encore invendues
se mettent à sonner
pour rassembler ceux qui sauront encore
ce que veut dire
être ensemble.

RAYMOND BOCK

Méo, de son vrai nom Roméo Bellemare, vécut à Saint-Élie-de-Caxton jusqu'à son décès le 20 novembre 1993. Au moment de publier ces lignes, il y aura vingt ans qu'il est parti. Vingt ans. Et malgré ce laps long qui nous sépare de son segment de vivance, il demeure toujours une mémoire étonnante des faits et gestes du bonhomme. Parmi les fiertés de coiffure qui se permettent de bomber encore la bretelle des gens du village, il est celle qui veut que Méo, un jour, ait pu rencontrer un grand contemporain de lui-même, un personnage très connu et dont la contribution à l'histoire humaine demeure sans contredit une des plus importantes à ce jour. Son nom? Einstein. Le vrai de vrai. Et je ne vous parle pas de Frank. Non. Mais de l'autre. Du plus jeune. De Robert Einstein. Ou Albert.

De l'apicole à la picole,
il n'y a qu'une apostrophe.
MÉO ET EINSTEIN

Le doute est tentant. On se demande comment un coiffeur d'un si modeste Caxton ait pu croiser l'envergure d'un Nobel. Cette rencontre se fit pourtant, par le détour heureux de l'apicole, parce que ce grand penseur aux cheveux blancs et à la calvitie relative, en-dehors de son champ d'intérêt pour les formules magiques et autres théories lumineuses, nourrissait un profond amour pour les abeilles.

Un jour, Ti-Bert Einstein fut invité à prendre la parole à un congrès nord-américain de mielleurs. C'était à Montréal — ou à Montebello, peu importe! Ce qu'on sait, c'est que Méo, notre Méo à nous, réussit par manigances à se faire accréditer pour assister à cette conférence qui portait sur la nécessité du pollenisme mondial.

— Le jour où les abeilles disparaîtront de la surface du globe, l'espèce humaine n'en aura plus que pour quatre années à vivre.

Einstein avait plombé l'ambiance. Suivant sa logique intouchable, la dernière mouche rendrait l'âme et il ne nous resterait qu'à décompter quatre années pour s'éteindre. Quand même... Dans l'ampleur de l'affirmation, Méo avait deviné une démesure dans le culte que Ti-Bert portait au miel. Aimer le miel est une chose admise, mais de là à crier à la Pocalypse dès que le pot est vide...

Einstein insistait: quarante-huit mois et on y serait. Selon son calcul, au dernier jour, à minuit, la fin du monde sonnerait son glas. Bang.

Ma grand-mère a connu le début du monde. Et la fin aussi. Je ne dis pas qu'elle était meilleure qu'une autre, juste qu'elle avait le sens du timing. Parce que j'en connais qui ont pu vivre le commencement, ou la finale, mais les deux dans une même vie, c'est très rare.

L'ABEILLE ET LA DETTE

J'ai ben plus peur de la fin du mois
que de la fin du monde.
STEVE BRANCHAUD

Méo, revenu du congrès, fit son procès verbal aux gens du village. Au verbatim de l'allocution d'Einstein, la réaction fut spontanée.

— Méo, on en avait cinq, des abeilles, puis tu les as laissées froster dans un banc de neige !

Le coiffeur évita la séance des reproches en se faisant rassurant.

— On a pas besoin d'abeilles, on a des histoires.

Il leur expliqua le système qu'il avait travaillé à mettre en place à leur insu, depuis le moulin de vérités et les secrets répandus. Qu'aussi longtemps que les parlures feraient le travail de butinage, voletant des corolles auditives aux pétales d'ouïe, le pollen de l'amitié circulerait et on baignerait dans une gelée royale sociale.

— Ça prend des histoires. Et pour que les histoires existent, il faut qu'elles circulent.

C'est la même règle qui s'applique dans le principe économique. Pour évaluer la vigueur d'un marché, on calcule le nombre de fois où la masse monétaire fait son tour dans le système. Il faut que ça roule. À la limite, s'il advenait que tout le monde soit riche mais garde son fric dans son compte de banque, la chose mourrait. La santé d'une économie se mesure à sa circulation interne. Comme la santé du monde.

— Plus les histoires circulent, plus le monde existe, rassura Méo.

Il fallait juste et simplement ne pas arrêter de se parler. Se dire. Se raconter.

— C'est le silence qui peut tuer!

Suivant la pensée de Méo, le jour où on arrêterait de se parler, l'humanité n'en aurait plus que pour quatre ans.

S'il y a des continents qui peuvent dériver,
on ne sera pas étonné
que des pays décident de se dire.

Les gens de mon pays démontrent des capacités étonnantes dans l'art de la parlure. Le village étant situé à la rencontre des placottes tectoniques qui font des secousses parlantes au moindre frottement, on ne se surprendra pas que ça jase autant. J'habite un monde qui se dit, se dédit, qui parle de tout, de rien, et surtout de l'incertain. À partir d'un germe, d'une anecdote, il dérape dans la frange agréable. Ce qui est clair et exact, c'est vite dit. On ne s'y étend pas longtemps. On préfère le flou pour avoir de la place à s'inventer.

— Demande-toi pas ce que le réel peut faire pour toi, demande-toi ce que tu peux faire pour le réel.

Chez nous, on fait des prêts hypothétiques à taux usuraires. De l'hyppopothèse qui sécrète et s'éventre. Ça fait comme si on s'enflammait de l'imagination. Au diagnostic, ça passe pour de l'imaginite à rêvures. Par manie d'imager.

Chez nous, le gâteau ne suffit pas parce qu'on aime trop le crémage.

— C'est le silence qui peut tuer!

Chez nous, la bouche est le moyen de transport le plus fiable qui soit. Nous existons à la vitesse du son. Et d'un son qui n'a pas de mur.

— Je pense donc je dis!

L'avertissement d'Einstein était posé, mais le silence n'avait jamais été considéré comme une menace majeure dans le spectre des dangers locaux.

ET POURTANT

Il en fut bientôt un qui cessa de parler avec un autre. Et untel coupa son jasage avec unetelle. Et lui fut coi. Et elle interrompue. Et progressivement. Le fermage de boîtes se propagea jusqu'à ce qu'on se rende compte, un matin, que plus personne n'adressait plus la parole à personne à Saint-Élie-de-Caxton.

Ça dura. Un jour et dix jours et un mois. Trois mois et un an. Et deux ans. Et trois. Et encore. Le silence. Pendant quatre ans, moins un jour.

Souviens-toi que le Temps est un joueur avide
qui gagne sans tricher, à tout coup! c'est la loi.
Le jour décroît; la nuit augmente, souviens-toi!
Le gouffre a toujours soif; la clepsydre se vide.
CHARLES BEAUDELAIRE

Quatre ans moins un jour sans se parler. Pour la personne se donnant la peine d'une déduction mineure, on se retrouvera pile sur la veille de la fin du monde. Nous étions au jour d'avant l'inexistence. Sur l'hier du plus jamais. C'était un dimanche, et c'est souvent comme ça : une fin du monde organisée dans les règles, ça tombe toujours sur un lundi. C'est une façon gentille de faire en sorte que la veille échoue sur le dimanche. Sur un congé. Et ça finit mieux parce que ça donne le temps aux gens de se reposer un peu et de fermer les dossiers.

Un dimanche, donc. Au matin, le vieux curé avait livré son ultime messe. Ce seul moment hebdomadaire ayant survécu au silence ambiant. Il en avait profité pour sortir son sermon sur la Pocalypse : les sept chevaliers, les sept sceaux, la bête à sept têtes et le diable est aux vaches! Du grand rebondissement de chaire de poule. La paroisse était sortie de l'église complètement traumatisée, la peur palpable et le tourment tendu. Tranquillement, les heures passaient, la date coulait et chacun voyait venir son point final sur le minuit tapant.

Sur les neuf heures du soir, le silence était à son comble dans les refuges du Caxton. Comme plus personne ne se parlait, chacun s'était retiré chez soi dans une solitude inébranlable. Méo était seul aussi. D'un côté, tous ses outils coupants, ses lames et démêloirs, gisaient rouillés dans l'inutilisation et l'absence prolongée de poils et chevelures. Sur la table, une assiette de tôle contenant les restes du cierge aux papparmanes continuait de briller. Deux courts cheveux de Solange tenaient encore flamme dans cette flaque de paraffine. Ça sentait toujours l'amour, et ça ajoutait à l'ampleur du drame.

Méo était seul. La dernière personne à qui il avait parlé, ç'avait été Madame Gélinas. Madame Gélinas…

Quand elle atteignit le chiffre magique de quatre cents poupons, la populeuse montra des signes d'épuisement. Quatre cents rejetons ! Elle prit soin d'expliquer que ce n'était pas parce qu'elle n'aimait pas les enfants mais seulement parce que ça dépassait ses capacités de patience, qu'elle n'en pouvait juste plus.

— Est-ce que quelqu'un pourrait me démiraculer ?

Elle avait débordé le vase. Elle priait pour une ligature des trompes. Son timbre de voix dépassait celui de la santé mentale. On frôlait l'hystérictomie.

Méo, qui n'avait jamais appris à dire non, s'offrit pour rendre service.

— Je vais aller vous éteindre le cierge !

Madame Gélinas verrait enfin la lumière s'éteindre au bout du tunnel ? Pour seule condition, le coiffeur posa celle des frais de déplacement.

— Ça va me prendre un peu d'argent pour payer le transport.

— Combien tu prends ?

— Une piasse !

L'utérine fouilla dans sa sacoche et trouva à assouvir la distance. Méo récupéra la piasse, sortit de chez la Gélinas, et s'arrêta chez Toussaint pour s'accoter au comptoir et dépenser le montant pour se remplir le réservoir. La flèche indiquait le plein quand il partit en direction du Sanctuaire de Notre-Dame-du-Cap-de-la-Madeleine, notre Lourdes en plus léger.

Méo se tenait figé devant la grotte. Lui qui n'était encore jamais allé s'allumer l'impensable n'en croyait pas ses yeux du nombre de cierges qui se trouvaient là. Une armée de lampions. Autant de désillusions à cherche brûlerie. À vue de nez, on dépassait le millier. Et le problème se présenta de lui-même : lequel des bâtons de cire était le bon, lequel était celui qui maintenait fertile le miracle de la populeuse ? Rien ne pouvait lui indiquer, parmi les cireux, lequel se dédiait à une cause plus qu'à une autre. Quoi faire, donc ? Méo se disait qu'il n'allait tout de même pas repartir sans en éteindre un. Un ? Plus encore ! Pour améliorer ses chances, il allait en souffler un paquet.

Pfiou !

Une quarantaine de chandelles rendirent l'âme. Méo quitta les lieux.

Quarante cierges. On imagine bien que plusieurs personnes s'étaient remises à boiter sur le champ. Par contre, dans son aléatoire généreux, Méo avait manqué le bon numéro. Revenu au village sur l'heure du souper, il trouva une Madame Gélinas enceinte à nouveau et découragée en continu.

— Qu'est-ce que vous faites là ?

— J'ovule, Méo. T'as pas mouché le bon cierge !

Méo marmonna une explication confuse. Madame Gélinas lui demanda remboursement.

— Redonne-moi ma piasse, je vais envoyer quelqu'un d'autre !

— Votre piasse ?

— Je t'ai payé, mais tu m'as pas rendu le service prévu, Méo.

— Je ne l'ai plus, VOTRE piasse !

— Je te demande pas MA piasse précisément. Ça peut être une piasse à toi, une autre piasse. En autant que tu rembourses.

Le ton montait.

— J'en ai pas de piasse, Madame Gélinas !

— T'as pas d'honneur ?

— J'ai de l'honneur, mais j'ai pas d'argent, que je vous dis.

— Pas d'argent ?

— Vous m'avez payé pour le déplacement, pas pour le résultat !

L'argument monta jusqu'au faîte de la pyramide. Ce fut Madame Gélinas qui servit le fin mot du pignon.

— Tant et aussi longtemps que tu m'auras pas remis mon argent, Méo, je veux plus te voir, je veux plus te parler.

Le mouvement venait de naître. Ne plus se parler pour une dette d'une piasse. Et il peut en tenir de l'orgueil sur la plus petite coupure. Quatre ans moins un jour sans se parler pour quatre trente sous, c'était cher payer.

Sur les neuf heures du soir, Madame Gélinas était seule avec ses petits. C'était soir de bain pour la ribambelle. Quatre cent soixante-treize petits poissons frétillants plongèrent dans le bain chacun leur tour. De la mousse dans les cheveux, du rinçage de nombrils et de la poudre à fesses Jonhson Jonhson pour tout le monde : c'était comme si on les avait roulés dans la farine. On aurait dit un paquet de bâtonnets panés.

La mère les corda serrés dans les trois lits doubles dont ils disposaient. Elle prit le temps de les border chacun. Elle y mit de la douceur, comme n'importe quel parent le ferait à l'heure de coucher ses enfants sur une veille de fin du monde. Un bec tendre déposé sur chaque front pour tâcher d'insérer quelques couleurs dans les miettes de rêves qu'il leur restait à cueillir avant minuit. Elle épuisa son rouleau chantant jusqu'à terminer par les refrains du soleil qui viendra bien vite.

— Dodo, mes petits trésors...

La mère se berçait maintenant, au rythme des souffles mesurés de son couvain calme. Ils dormaient tous. Le passage de la catastrophe serait moins dur pour eux. Ils ne sentiraient rien.

Madame Gélinas était seule et attendait la fin du monde. La dernière personne à qui elle avait parlé, ç'avait été Toussaint Brodeur. Toussaint Brodeur...

Comme tout bon commerçant qui n'a pas le choix, Toussaint Brodeur tenait un livre des crédits. Suivant les soubresauts de l'économie du village, il avançait de la denrée pour un ou pour l'autre, ouvrait des comptes et faisait du marquage. Tout était noté jusqu'à remise complète des montants. À terme, le cahier tenait son cycle et les prêts étaient toujours acquittés avant le discrédit.

Vint le jour où ce fut le tour de Madame Gélinas d'avoir besoin du payer-plus-tard. Elle était cassée depuis un moment et on tombait sur une semaine où une trentaine de ses enfants célébraient leur anniversaire. Le cœur d'une mère étant ce qu'il est, elle avait demandé à Toussaint de lui faire crédit de farine pour le gâteau des fêtés. Ça lui prenait une poche de farine.

— Ça fera une piasse, Madame Gélinas !

— Vous pouvez me le marquer, hein ?

— Avec plaisir !

Le marchand inscrivit le montant au cahier à côté du nom de sa voisine.

Les enfants Gélinas avaient soufflé les chandelles, ingéré le gâteau, exgéré le gâteau, et le montant en souffrance n'avait toujours pas diminué. Toussaint avait bien osé une figure de style sur la denrée périssable pour souligner le fait que la dette dépassait sa date de péremption, mais Madame Gélinas ne montrait aucun signe de paiement.

Toussaint attacha un fil de patience au bout de l'élastique des délais, il fronça les sursis et mangea de la marge. À la fin, ça dépassa ses limites. Le marchand général, un jour où il croisait sa cliente dans la rue, annonça que c'était fini.

— Tant que vous m'aurez pas remis mon argent, Madame Gélinas, je veux plus vous voir, je veux plus vous parler.

On en était à quatre ans moins un jour. Pour un sac de farine à une piasse.

À neuf heures ce soir-là, Toussaint Brodeur gisait mou dans son fauteuil préféré, hypnotisé par la lumière neigeuse de la tévé. Ce grand marchand général, qui avait été au centre de tous les rassemblements, organisateur des plus belles veillées d'arrosage, se retrouvait maintenant assis seul devant cette télévision décommunautarisée. Le regard vide, les mains crispées sur les accoudoirs usés, il appréhendait la fin des épisodes.

La dernière personne à qui il avait parlé, ç'avait été le vieux curé. Le vieux curé qui avait bien fini par se douter de quelque chose, le pauvre. Le choc de la perte de son meilleur ami de l'homme avait pris du temps à passer et son enquête secrète l'avait mené chez le ratoureux marchand.

— Toussaint, je suis venu chercher la piasse que vous avez obtenue à la vente de mon Bernard!

— On l'a plus, votre piasse...

— Où l'avez-vous mise?

— On a acheté de la bière avec.

— Tant que vous ne m'aurez pas remis mon argent, Monsieur Brodeur, je ne veux plus vous voir, je ne veux plus vous parler.

Quatre ans moins un jour.

Le vieux curé dans son presbytère. Neuf heures. Pas plus fin qu'un autre. Lui, le dernier à qui il avait parlé, ç'avait été le forgeron Riopel. Pour une erreur d'inattention. Parce que le forgeron, dans un geste maladroit, avait fixé les fers à l'envers sous les pattes du cheval du curé. À l'envers. Juste ça. Avec pour effet notoire que le cheval marchait à reculons. Et le forgeron avait eut beau expliquer au curé que c'était beaucoup plus simple de tourner la selle devant derrière plutôt que de tout reprendre l'ouvrage, le client insatisfait avait continué d'insister. Le forgeron n'en put bientôt plus.

— Si vous continuez de m'achaler, monsieur le curé, je vais replacer deux fers puis vous allez passer l'été avec un cheval qui vire en rond. Vous allez regretter votre cheval qui recule.

Une job de fers, ça valait une piasse. Une piasse que le curé refusait de payer. Et on connaît la suite.

Le cercle en était à ce point coincé que chaque segment de la roue bloquait. Pendant tous ces longs mois, chacun de son bord avait amplifié son ressentiment, à se pomper, à chiquer sa guénille jusqu'à se convaincre qu'il avait raison. À préférer perdre tout pour l'illusion de sauver la face.

— Il est à combien le naufrage de l'humanité ?

— Une piasse.

— C'est une histoire qui finit mal, grand-maman?

C'était le dernier soir. À neuf heures et quart, Méo décida d'attaquer la cérémonie de fermeture.

— Avant le bordel, un Bordeaux!

C'était une vieille bouteille d'un grand cru inclassable que le coiffeur conservait depuis des années. Il se la gardait pour une occasion spéciale. Et elle se présentait. La fin du monde. Si on tient des Bordeaux dans sa cave la veille d'une fin du monde, il est fortement conseillé de les ouvrir. Pas besoin d'être sommelier pour le savoir : aucun vin ne sera jamais plus mature qu'à ce moment-là.

Méo descendit l'escalier de la cave pour rejoindre cet endroit où se trouvaient les portes de son temple temporel. Il se rendit à sa chambre froide, là où il se mettait chaud le mieux, et saisit la rareté habillée en commune, ce flacon précieux dormant dans la fausse humilité. La bouteille était recouverte de poussière et de cordons d'araignées. Méo la frotta. Pour nettoyer grossièrement. Pour retrouver l'étiquette.

Méo s'astiquait le canon. Dans la répétition de son geste de décrassage, il se prit à penser à Aladin. L'Aladin des mille et une nuits. Celui qui se frottait la lampe. Et d'Aladin à la pensée magique, Méo passa le pas. Et s'il se trouvait un génie dans sa bouteille ? Et encore mieux : s'il se la brossait assez bien, peut-être se trouverait-il une génisse pour s'extraire du goulot ! Une génisse de Napoléon. Méo fabulait. Il se mijotait un souhait, au cas où.

— Je vas lui demander de sauver le monde !

Méo planta son tourbillon dans le bouchon. Ça tourna dans le sens d'un bâton de barbier. Il poppa le liège de la bouteille. Et il entendit des pas au-dessus de sa tête, sur le plancher de sa maison.

Méo avait gringolé les marches en vitesse. Il y avait quelqu'un chez lui. Une personne assise dans la chaise du barbier qui tournait le dos à Méo. Une personne avec un grand capuchon. Et qui ne bougeait pas.

Méo avançait lentement en gardant les yeux sur le miroir pour tenter d'y déceler une face ou le reflet d'une identité connue. Dans la pénombre, il vit les premiers traits. Un visage doux. Blanc. Rond. Un visage potelé. Et surtout, surtout, une bouche pulpante entrouverte d'un millimètre.

C'était une sosie de Solange qui avait pivoté pour maintenant faire face à Méo. Elle se leva et l'homme aux détails put percer le trait qui distinguait la copie de la véritable : elle n'avait pas cette lueur dans l'œil qu'on retrouvait chez la sœur d'origine. Quoi d'autre ? L'irruption glissa le capuchon derrière sa tête pour libérer une cascade capillaire majestueuse, une chevelure blonde et d'abondance bouclée qui submergeait ses épaules et son dos et le fantasme de Méo.

En habitué de la rêverie, Méo avait commencé par se pincer.
La douleur confirma la réalité.

La visiteuse étalait sa splendeur capillaire sous les yeux du
coiffeur, mais ne disait toujours rien.

— Avez-vous besoin d'aide ?

Méo ne savait pas comment réagir. Il meublait son malaise
avec sa maladresse nerveuse.

— Est-ce une urgence ?

— ...

— Sont-ce vos fourches ?

— ...

— Avez-vous une urgence de fourches, mademoiselle ?

Elle avança lentement en direction de Méo et posa son petit
doigt fin sur la bouche du coiffeur. Un «chut» en langage signé.
Méo obéit. Elle fouilla dans sa sacoche et en ressortit un bout de
papier vert. Une piasse. Elle déposa le billet dans la main de Méo
qui comprit en un éclair. Sauver le monde ? Non. Mais partir sans
dette, ça se pouvait.

Méo frappait dans la porte de la maison des Gélinas. La mère, qui venait tout juste d'endormir ses petits, lui fit de grands gestes de colère pour lui faire comprendre qu'il fallait arrêter son vacarme. À travers la fenêtre de la porte, Méo lui montra sa bonne foi monétaire. Sa piasse. La Gélinas vint ouvrir. Méo entra sans faire de bruit et remit à la materneuse ce qu'il lui devait pour le service jamais rendu de l'éteignage de cierge. La dette venait de tomber. Ils se firent l'accolade de la réconciliation et la Gélinas pardonna. Méo était soulagé.

— Il faut que je retourne chez nous. J'ai quelqu'un.

— Merci Méo !

— Bonne fin du monde !

Les enfants dormaient. Ils rêvaient. Dans la chaise berçante de la famille Gélinas, il n'y avait plus personne. La couveuse était partie.

Madame Gélinas frappait à la porte de Toussaint Brodeur pour l'extraire de sa torpeur télévisuelle. Le marchand général glissa nerveusement hors de l'écran et plissa les yeux vers la porte. Quand il reconnut la Gélinas, il lui fit un geste de va-t-en. Elle cogna à nouveau. Il s'approcha pour voir mieux. Elle tenait dans sa main une réconciliation.

Toussaint avait effacé la dette de farine dans le cahier des crédits. Il invitait maintenant la pardonnée à venir avec lui pour remettre au curé le montant en souffrance, celui qu'il avait obtenu lors de la liquidation de Bernard. Son manteau et ses bottes. Ils étaient sur le chemin.

Quand le vieux curé reconnut Toussaint qui frappait à la porte, il refusa d'ouvrir.

Le vieux curé se laissa convaincre par la piasse qui lui était due et fit signe à Toussaint d'entrer.

Un changement de poche et ils se réconcilièrent.

Le curé, accompagné de Toussaint et de la Gélinas, se trouvait devant la porte de la maison du forgeron Riopel. L'homme d'Église tenait la petite coupure en évidence devant la fenêtre de la porte pour indiquer sa volonté d'enfin régler l'histoire du ferrage inversé.

— Je refuse toute forme de favoritisme.

Le forgeron avait encaissé l'argent du curé. À son tour, il invitait la troupe à le suivre pour aller régler la piasse qu'il devait à Méo.

— Il m'a coupé les favoris pendant six mois puis je l'ai jamais payé.

Entre temps, les enfants Gélinas s'étaient réveillés et avaient rejoint le cortège. Il y avait aussi Jeannette, la femme à Toussaint, et Lurette, la fille du forgeron, pour venir s'ajouter à l'unanimité. Tout ce monde marchait d'un bon pas en direction du salon de Méo.

— Toc. Toc. Toc.

Méo joua l'ignorance volontaire.

— Toc insistant.

Méo était seul avec une sosie sur un soir de fin du monde. Il fit un geste subtil en direction de la porte pour indiquer qu'il n'était pas disponible.

— Retoc.

Pas le choix. Méo se résolut à venir entrouvrir avec l'intention de craquer la porte juste ce qu'il faut pour offrir une fente à passer l'effet. Une fissure. Un rien. Mais le barrage céda. La marée humaine inonda le salon de barbier. Le temps de crier «ciseaux!», tout le village se retrouva dans la place.

Au centre de ce rassemblement se trouvait le forgeron Riopel devant Méo. Et on boucla la boucle. Le forgeron déposa la piasse dans la main de Méo. La même piasse. Dans la même main. Exactement comme ça se trouvait quinze minutes auparavant. À la seule différence près que maintenant, plus personne ne devait plus rien à personne.

Les dettes effacées, la rétention du jasage maintenue depuis si longtemps leur péta l'élastique dans le front. Et ça se reparla. Enfin. Ça explosa dans un débit rarement vu. Les valves grandes ouvertes, la mise à jour jaillissait à pleins tuyaux et menait l'interlocution à bout de souffle. C'était des cancans, des dira-t-on, des ouï-dire, des non-dits, des rumeurs, des versions, et encore. Une symphonie de libération pour instruments oratoires qui épuisa bientôt ses quatre ans de privations pour renouer avec ses vieilles histoires confortables. On avait ressorti les contes à merveilles, les récits à tiroirs, de ceux-là qu'on avait entendus assez de fois pour en connaître les débuts et les fins, les moments à rire et à s'attendrir. De ces histoires que l'on sait et qui s'étirent. Ce fut un réveillon langagier. Une soirée de fin du monde mémorable.

À minuit moins quart, ce fut le moment des embrassades et des adieux. Chacun retournait chez lui pour le grand décompte. Il en va ainsi comme pour les grands cataclysmes : la fin du monde, c'est un moment à faire chez soi. À se le tenir pour dit quand viendra votre tour. La Pocalypse, il ne faut pas achaler les voisins avec ça.

La mort,
c'est aller jusqu'au bout de sa cire,
comme une chandelle
qui va au bout de sa cire
et qui s'éteint.

Père Jean Patry,
extrait du film *On ne mourra pas d'en parler*
de Violette Daneau

Méo se retrouva seul. Seul, seul ? Seul avec cette sosie qui avait eu le temps de s'esquiver dans la petite chambre d'amis quand la foule était débarquée. Personne n'avait pu remarquer la survenante.

Une fois tout le monde évacué, Méo alla ouvrir la porte de la chambre.

— Venez ! Ils sont partis !

La sosie s'avança dans la pièce principale. Elle se planta devant Méo et entreprit de remballer sa crinière dans son grand capuchon.

— Vous allez bien rester un peu, on a du bon Bordeaux !

La sosie déposa son index sur la bouche de Méo. Il comprit qu'elle partirait.

Méo fouilla dans sa poche pour en ressortir la piasse. Il prit la main de sa visiteuse et remit le billet dedans. Tant qu'à passer par là, il en profita pour toucher les doigts de la belle en les refermant sur la cagnotte.

— C'est la part des anges…

Méo la regarda marcher vers la porte de la maison et sortir dans la nuit.

Au moment de refermer, un petit courant d'air fit frissonner le barbier. La brise traversa la pièce jusqu'à venir éteindre la flamme qui dansait encore sur la flaque de cire aux papparmanes. Comme un soupir.

Par la fenêtre, le coiffeur suivit du regard la sosie qui s'éloignait. Avant de disparaître, elle se retourna une dernière fois pour saluer son hôte de la main. Et il fut frappé par la dédifférence : la belle impromptue avait récupéré les petites lumières dans ses yeux.

Il était minuit moins cinq. Cinq gorgées. Ça ne fait pas long pour quelqu'un qui a soif.

Cinq gorgées et les douze coups. Et ce qui devait arriver arriva. Les ténèbres se posèrent sur la terre. Ce fut la fin du monde.

> *Ce que la chenille appelle la fin du monde,*
> *le sage l'appelle le papillon.*
> RICHARD BACH

— Ça marche pas!

J'avais onze ans. Je ne pouvais pas croire à cette fin du monde rétroactive. Ils avaient réglé la dette. Ils s'étaient parlés avant l'échéance des quarante-huit mois.

— Il y a un problème de logistique dans ton histoire, mémère!

Et elle m'avait expliqué que l'orgueil avait planté ses racines creux dans le cœur de la piasse. Que les dommages dépassaient de loin les frontières du Caxton. Que l'issue était inévitable.

— Ç'a été la fin du monde, mon petit homme.

— Je savais que ça finirait mal...

— Une histoire qui finit mal? Non, c'est une histoire qui est pas finie!

J'avais onze ans. J'étais viré à l'envers.

— Si la fin du monde est passée, ça veut dire qu'après ça, il y a plus d'histoires? Plus de contes à se dire?

— Les contes... Il faut pas être nostalgique, mon homme. C'est l'évolutionnage. Reste les comptes de banque. Aussi longtemps qu'on laissera la terre tourner autour du dollar, la planète tiendra dans un équilibre fragile sur les deux immenses colonnes de chiffres séparées en crédits et en dépits. On placera la carte du monde sur une grille Excel, et les rivières deviendront des potentiels de kilowattages, et les forêts seront mises sous tutelle. Les plus beaux paysages seront à la merci de la concentration du minerai présent dans chaque pouce cube de leur sol. Les peuples deviendront des marchés; et la confiance, un indice à la bourse. Même le paradis sera fiscal.

— Et le soleil, il faudrait faire quoi pour le remettre à sa place ?

— Il faudrait repasser par le grand zéro, mon petit homme. Peut-être juste à mettre nos dettes en commun pour se rendre compte de la grande illusion. Le grand zéro. Refaire la partance. Chercher plus loin que le prix, pour retrouver la valeur. Aller voir derrière le chiffre, pour retrouver ce qui fait nombre.

Faire nombre.

— Le jour où on sera assez nombreux à espérer ensemble, le soleil pourra peut-être se relever.

LE MOMENT SACRÉ

Il est trop tard pour être pessimiste.

YANN ARTHUS-BERTRAND

Quand il viendra le moment, il se trouvera, sur une montagne perdue dans le nord de l'Amérique, un gars dépeigné installé sur une souche avec, dans une couverture chaude, trois enfants blonds. Deux petites filles et un petit garçon. Ils seront posés là, immobiles, les yeux plongés dans le bleu éternel, à attendre le spectacle d'un soleil qui se lève. Bientôt, ils verront apparaître dans l'horizon les premiers morceaux de violacé. Progressivement, le ciel passera par le rouge pour venir se transvider dans les orangés. Pendant ce temps où le spectre du ciel déroulera ses teintes, on verra venir du monde sur la montagne. Ce seront des dizaines de décravatés et de décrayonnés, des centaines d'amoureux par les mains et par les cœurs, des milliers de familles en pères, mères et enfants, tous à prendre place sur le cap de roche. Et à voir grimper l'indice du jaune. Jaune et rejaune. Jusqu'à l'intensité maximale. Jusqu'à l'or. Jusqu'à ce que la montagne d'en face n'en puisse plus de se retenir de sa gestation de millénaires et qu'elle fende enfin pour laisser monter, dans le ciel neuf, le soleil.

À ce moment, le gars dépeigné va se lever avec ses trois enfants pour ne rien manquer de l'éblouissement.
— Vous voyez? C'est la lumière. La lumière, ça n'appartiendra jamais à personne.

Ce sera le début d'une histoire. Et l'humanité qui se tiendra là, dépeignée, oui, dépeignée mais surtout debout dans la lumière, à espérer... cette humanité, peut-être que ce sera la nôtre.

TABLE DES MATIÈRES